GEKNEBELTE GESELLSCHAFT

DOKUMENTATION eines SYMPOSIONS der GRAZER - AUTORENVERSAMMLUNG

3. – 5. Oktober 1985

zusammengestellt u. herausgegeben von

Krista Krumbiegel

1.Auflage, Wien 1985

Umschlaggestaltung: Horst Krumbiegel
Layout, Herstellung für den Fotosatz,
Umbruch: Krista Krumbiegel
Satz: Rademacher GmbH., 1160 Wien
Druck: rema print, 1080 Wien

ISBN 3-900650-00-4

"...es gibt die, die zustimmen...
und die, die verweigern...
hier ist der Bruch..."

(Jugendliche angelernte Arbeiter bei Renault/Cleon - in einem Film der Gruppe Gefängnisinformation (GIP), 1971)

VORWORT

Hans Petschar

Das unerhörte Sprechen von Michel Foucault

"Bei uns bestimmen die Personen die Wahrnehmung." - Vor einigen Jahren, als seine Bücher längst Bestandteil des Kulturgeschwätzes geworden waren, gab Michel Foucault "Le Monde" ein Interview, unter der Bedingung, daß er anonym bleiben dürfe. "Aus Sehnsucht nach der Zeit, in der - da ich völlig unbekannt war - das, was ich sagte, einige Chance hatte, Gehör zu finden." Die Berührungspunkte waren nicht vorgezeichnet und Wirkungen tauchten an unerwarteten Orten auf, Formen hätten sich abgezeichnet, an die er nicht gedacht hätte. Dieses Buch ist eine solche Wirkung, und dieser Beitrag ist vielleicht nur deshalb noch entstanden, weil mich die Herausgeberin nach einem Gespräch, in dem sie von ihrer Arbeit erzählte, von ihren Gesprächen mit den internierten Schriftstellern, mit ihren Direktoren und deren Sorgen, daß die Sprache einen Weg nach "Draußen" finden würde, fragte, ob sie den Philosophen Foucault richtig verstanden hätte. Vielleicht hatte sie wenig von ihm gelesen bis zu diesem Zeitpunkt, aber was sie kannte war ein Teil ihres Lebens geworden, oder vielleicht war es schon ein Teil ihres Lebens, bevor sie die Texte kannte, und in der Lektüre fanden sich jene überraschenden Berührungspunkte, die bei einem Anderen ein Denken aufgetan sehen, für das man selber bereit sein möchte. Das sind die Momente, die die Arbeit weiter treiben und doch noch zum Lesen bringen, und auch jene glücklichen Augenblicke, mit denen uns die Lehrmeister des kritischen Denkens beharrlich verschont haben, die selbst den Tod eines Anderen noch dazu benützen, um in einer vorgeblich kritischen Würdigung über ihn und sein Denken zu triumphieren, die "Macht der Faktizität" uns aufdrängen wollen. Vielleicht habe er ihn nicht gut verstanden, heißt es dann in einer Mischung aus Rhetorik und Bekenntnis.
Die Angst, im Geschwätz zu vergehen, die Angst, sich bequem einzurichten im Verständnis seiner selbst und vor den anderen, hat Michel Foucault dazu bewogen, seine Sprache mehr und mehr zurückzunehmen, von einem Buch zum anderen die Position zu wechseln, in der man ihn gesehen hat. Das gehört sich selbstverständlich nicht, wenn man einen Namen hat, das führt aber auch dazu, unentwegt das Selbstverständliche zu befragen, das unser Denken leitet: was gilt uns als wahre Erkenntnis, wie sind die Praktiken der Macht beschaffen,

die auf andere wirken, und über die wir uns als Subjekte bestimmen - wie verhält es sich mit den Werten, die unser Handeln bestimmen?

Die Texte hingegen, die in diesem Buch zur Sprache kommen, sind nicht aus Bekanntheit unerhört. Ihr beschränktes Erscheinen verrät nur von der stummen Existenz dessen, was im Verborgenen bleiben muß, was beständig verhindert werden muß, nicht ans Licht kommen darf - oder aber, was, sollte es einen Weg nach draußen finden, sofort auf dem Schauplatz einer humanen Gesellschaft ausgestellt werden muß, damit es nicht gefährlich werden kann. Die unterschiedlichen Weisen des Ausdrucks, der Behandlung zu dokumentieren, ist vielleicht der wichtigste Aspekt dieser Gefährdung.
Es sind die Barrieren unseres Denkens, unseres sozialen (Ge)wissens, die niederzureißen wir gezwungen werden, wenn eine dumpfe Gemeinsamkeit in den verschiedensten Bereichen sich auftut, in denen wir mit denen verfahren, die unsere Normalität definieren, und die wir dazu brauchen, um als normal zu gelten, um deren stumme Existenz allein wir wissen möchten, weil ihre Sprache einen Exzeß bedeuten wird.

*

Hans Petschar: Dissertation über Michel Foucault, Claude Lévi-Strauss u.a., "Kulturgeschichte als Schachspiel. Vom Verhältnis der Historie mit den Humanwissenschaften" - Salzburg 1985.

Karin Jahn

Sprachverwahrlosung - Schwerpunkt Jugend

Ich beginne meinen Beitrag zu dieser Veranstaltung damit, das Thema verfehlen zu wollen. Sollte es ein Dogma von der Unverfehlbarkeit der Thematik bei Symposien geben, so möchte ich es durchbrechen. Ich kann das natürlich begründen und werde das auch tun.
Mein jetziger Auftritt basiert auf einem Gespräch, das ich mit Krista Krumbiegel im Cafe Alt-Wien führte. Ich habe ihr da allerlei Stories und Theorien erzählt, beruhend auf Erfahrungen, die ich als freie Mitarbeiterin der sogenannten Notschlafstelle (für obdachlose Jugendliche) gemacht habe. Ich erwähnte dabei auch Sprachbarrieren, Sondersprachen, Grundsatz- und Kommunikationsprobleme, Verwahrlosung durch Anpassung und derlei und Krista meinte, ich müsse das alles nur niederschreiben, vielleicht ein bißchen mit Beweismaterial verbrämen (diese Bezeichnung stammt von mir), mit Tonbändern etwa, und das Ganze wäre ein interessanter Beitrag zu diesem jetzt stattfindenden Symposion, das damals noch den Arbeitstitel "Sprache im und als Gefängnis" hatte.
Ich habe zugesagt und noch in der selben Nacht hat mein Über-Ich begonnen, mir Befehle zu erteilen. Ich habe in der Folge folgsam Notizen und Tonbandaufnahmen gemacht, andere zur Mitarbeit zu motivieren versucht, mir eine Methodik überlegt, die möglichst alles hätte berücksichtigen sollen, was üblicherweise nicht oder selten berücksichtigt wird und ich wurde immer verwirrter. Verdrängung trat auf und Inhalte dekonkretisierten sich.
Als mich Krista dann schon täglich anrief, um einen Titel von mir zu erfahren, hätte ich noch absagen können, aber ich sagte nur, sie solle sich keine Sorgen machen, mir werde schon was einfallen, obwohl es mir lieber wäre, ihr fiele was ein. Ihr fiel auch nichts ein und so sagte ich mit vorgetäuschter Fröhlichkeit: Schreib halt was, wo Sprache, Verwahrlosung und Jugendliche vorkommen.
Das wars. Zunächst.
In der Zwischenzeit stand der Symposionstitel "Geknebelte Gesellschaft" fest, der mir sehr gut gefiel, obwohl ich Parabeln lieber mag als Metaphern. Meine Arbeitsunlust in Bezug auf dieses Symposion steigerte sich dennoch und dieser Zustand führte dazu, daß ich mir vorzustellen begann, ich läge im Hof der "Alten Schmiede" in einem finsteren Winkel - gefesselt und geknebelt - und vor mir stünde mein Über-Ich in der Gestalt des Dr. Neumann*) und sagte, es würde mich nur entknebeln, wenn ich mich endlich entschlossen hätte, sachlich zu sein. Das war genau der Punkt, und ich wußte jetzt, daß ich nicht sachlich sein wollte. Ich teilte meinem Über-Ich

mit, es solle sich originellere Maskeraden ausdenken, ich wäre unter keinen Umständen bereit, Befehle auszuführen, auch nicht meine eigenen und beschloß dann, das Thema zu verfehlen.
Obwohl mir die Vorstellung, geknebelt über Geknebelte Gesellschaft zu referieren, reizvoll erschien.
Es wird Sie jetzt überhaupt nicht wundern, daß das nächste, was ich tat, war, über die Funktion des Knebels nachzudenken, sozusagen in Neuer Sachlichkeit.
Der Sinn des Knebels ist, jemanden am Sprechen oder Schreien oder auch Singen zu hindern. Das Knebeln ist zumeist eine vorübergehende Maßnahme und relativ umständlich. Die einfachere Methode wäre Mord. Nehmen wir ein klassisches Beispiel: Die Räuber binden die Haushälterin - nachdem sie sie geknebelt haben - an den Zentralheizungskörper (was für ein schönes Wort) und brechen den Tresor auf. Was heißt das?
Erstens, daß Knebeln ohne Fesseln sinnlos ist, es sei denn, die betroffene Person ist körperbehindert.
Das heißt zweitens, daß die Räuber auf die Hilfe der geknebelten Person nicht angewiesen sind. Man stelle sich etwa einen Arbeitgeber vor, der darauf angewiesen wäre, seine Arbeitnehmer durch Knebel zum Schweigen zu bringen. Er würde auf ihre profitable Arbeitskraft verzichten.
Drittens heißt das, daß die Räuber maskiert sein und ihre Stimme verstellen müssen. Sie können es sich nicht erlauben, ihr Verbrechen offen zu begehen, wie höher gestellte Personen, denn sie müssen damit rechnen, wenn sie erwischt werden, bestraft zu werden. Viertens müssen sie nachgedacht und geplant haben. Sie haben herausgefunden, daß der Herr Direktor samt Gattin auf dem Opernball ist und der Junior auf Skiurlaub, sie haben also genügend Zeit, den Tresor zu knacken, alle Spuren zu verwischen und die Haushälterin wird dennoch (bis zum nächsten Morgen) nicht verhungern. Fünftens haben sie nicht die Absicht, zu morden. Im Gegenteil, sie hindern die Haushälterin daran, in ihrer vertrottelten Solidarität mit dem Herrn Direktor etwas zu tun, was sie selbst in Gefahr bringen könnte.
Und sechstens rechnen die Räuber damit, daß Personen, die die Hilferufe der Haushälterin hören, auch Hilfe leisten und nicht als übliche Nebenerscheinung familiärer Auseinandersetzung interpretieren, in die man sich besser nicht einmischt.
Sie sehen also, daß das Knebeln eine relativ humane Handlungsweise ist, die auch humane Rahmenbedingungen erfordert. Deshalb wird in der Realität so selten geknebelt.
Das Verdächtige an unserer Gesellschaft ist, daß so selten um Hilfe gerufen wird. Und es wird so wenig um Hilfe gerufen, weil es sinnlos erscheint. Soll ich angesichts der Atombombe um Hilfe rufen? Sie hört mich nicht, auch der Sachzwang versteht mich nicht. Soll ich um Hilfe rufen, weil ich nicht leben kann, ohne ausgebeutet

natürlich sinnlos ist, denn der Herr verachtet den Lakaien, schon deshalb, weil er selbst Lakai eines anderen Herrn ist. Das ist die berühmte Abgrenzung, die zwangsläufige Folge, einer durch Angst funktionierenden Gesellschaftsordnung.

Da man ja weiß, daß unser Gesellschaftssystem auf Ungerechtigkeit und Unterdrückung beruht, und man vermuten kann, daß jeder Mensch zunächst einmal wünscht, nicht unterdrückt und gerecht behandelt zu werden, ist es ganz normal, wenn aus dieser Situation heraus alle Gesellschaftsmitglieder psychisch gestört sind. Wir alle kennen das lächerliche Schauspiel, wenn demnach psychisch gestörte Menschen bei anderen solche Störungen feststellen und diese dann auch noch zu beheben können vorgeben und wirken selbst auch immer wieder dabei mit. Der Psychiater braucht den Verrückten mehr als umgekehrt, der Staatsanwalt den Kriminellen und der Sozialarbeiter den sogenannten Klienten, wobei dieses relativ neu eingeführte Wort den Sachverhalt endlich klar ausdrückt. Und obwohl man - wie ich vorher angedeutet habe - jede beliebige Gruppe in die Situation bringen kann, von den Mächtigen diskriminiert zu werden, verläßt man sich nicht darauf. Vermutlich, weil die Mächtigeren nicht unbedingt die Gescheiteren sind und sie ihre psychischen Störungen des öfteren auch schwerfällig machen. Man verläßt sich also nicht darauf und ist sorgsam darauf bedacht, daß das Reservoir an traditionellen outdogs sich nicht erschöpft.

Damit bin ich nun doch bei der Notschlafstelle. Diese ist eine Gemeinschaftseinrichtung von Bewährungshilfe und Jugendamt, de facto eine größere Mietwohnung, in der obdachlose Jugendliche 3 Wochen (!) Zeit haben, eine ständige Unterkunft zu finden. Ich habe dort dreieinhalb Jahre mitgearbeitet und dadurch etwa fünfhundert Jugendliche kennengelernt. (Kennengelernt ist natürlich anmaßend, eigentlich sollte es heißen: ihre Bekanntschaft gemacht). Fast alle waren ehemalige Heimkinder und wurden als "unangepaßt" bezeichnet. Tatsächlich waren sie zumeist sehr angepaßt, nämlich an das, was sie in diesen Heimen gelernt hatten, das heißt: konditioniert, um in geschlossenen Anstalten zu leben. Programmierter Nachwuchs für "Betreuer".

Den Jugendlichen war ihre Situation zumeist klar. Sie vergeudeten ihre Zeit nicht lange mit sinnlosen Versuchen, in drei Wochen eine eigene Wohnung zu finden, Finanzierungsmöglichkeiten, Arbeit usw., sondern arbeiteten zielstrebig auf die Unterkunft in einer geschlossenen versorgenden Anstalt hin: andere Heime, Häfen, Psychiatrie, Bundesheer usw. Die meisten wären gern in der Notschlafstelle geblieben, was mich entsetzt, aber nicht gewundert hat und viele nannten als Traumberuf: Erzieher, Sozialarbeiter und Polizist. Vier sind inzwischen gestorben. Einer bei einem Unfall in einem gestohlenen Auto, zwei an Rauschgift und ein Mädchen wurde von einem verschmähten Liebhaber ermordet.

Was die Mitarbeit in der Notschlafstelle anbelangt, so war sie für diejenigen sinnvoll, zu werden und selbst auszubeuten? Soll ich um Hilfe rufen, weil ich mir reduziert vorkomme, gedämpft und geängstigt? Wer soll mir helfen? Hilft es mir, wenn mir jemand sagt, ihm ginge es genauso? Die kleinen Tricks, die kleinen Auswege, die der benützt, kenne ich ja selbst: die eine oder andere Illusion, das sich Abreagieren an den dafür vorgesehenen Orten, das Agieren - in kleinen Dosen natürlich - auch an anderen Orten ... So habe ich mich kürzlich bei folgender Handlungsweise ertappt: Ich gehe auf der Wollzeile, denke daran, daß ich noch immer nicht weiß, was ich bei dieser Veranstaltung sagen soll und singe vor mich hin. Es hat sich ungefähr so angehört (Melodie: frei nach Lili Marleen, Stimme: nasal, knebelmäßig): Geknebelte Gesellschaft, Gerebelte Untersuchungshaft, Gesäbelte Manneskraft, Benebelte Partnerschaft usw. Der U-Bahn-Bau hat gelärmt, die Straße auch, aber beide nicht laut genug. Die Leute haben mich komisch angeschaut und ich war ruhig. Die Angst davor, schrullig zu wirken, hat völlig ausgereicht, um mich zum Schweigen zu bringen. Ich war ja allein und nicht auf der Kärntnerstraße, wo ich das ganze als Aktionstheaterversuch hätte tarnen können. Ich habe mich selbst geknebelt und der Knebel heißt Angst vor dem Außenseitertum. Dieser ist und bedeutet - im Gegensatz zum realen Knebel - DAUERHAFT.

Und damit bin ich mitten im Thema. Es ist ja so, daß ich jetzt - während ich schreibe - daran denke, daß ich das vorlesen werde - was ja jetzt in der Gegenwart geschieht -, was ich seinerzeit in der Vergangenheit geschrieben habe, obwohl ich es jetzt gerade tue. Das bedeutet auch, daß ich - während ich eingangs angekündigt habe, das Thema zu verfehlen - schon gewußt habe, daß es mir nicht völlig gelingen wird, bzw. gelungen ist.

Das ist das Problem der vierten Dimension, gelöst durch Lüge, womit ich mich von einem etwaigen Außenseiterverdacht befreie und von außen über Außenseiter reden kann.

Das stimmt natürlich schon wieder nicht, denn schließlich ist jeder gleichzeitig Außenseiter und Innenseiter. Wenn er in einem bestimmten Bereich Innenseiter ist - um diesen deutschen Begriff salonfähig zu machen - ist er automatisch im gegensätzlichen Bereich Außenseiter. Einer, der noch nie im Gefängnis war, ist für die, die schon waren und sind, Außenseiter und umgekehrt. Dieser Begriff hilft uns also nicht weiter, wenns um die Angst geht. Ich denke also an "Angst, Minorität zu sein" und stelle fest, daß selten jemand davor Angst hat, zu der kleinen Gruppe derer zu gehören, die ökonomisch - oder auch durch Ruhm und Ansehen - privilegiert sind. Auch Angst vor Diskriminierung ist nicht der entscheidende Punkt, denn der Sandler kann den Polizisten und der Psychiatrierte den Psychiater diskriminieren. Na und. Man fürchtet also nicht Diskriminierung, sondern die Diskriminierung durch den, der mächtiger ist, als man selbst. Davor versucht man sich zu schützen, indem man sich von vornherein auf die Seite des Mächtigeren stellt, was die sie als sogenanntes Sprungbrett für eine sogenannte Sozialarbeiterkarriere benutzen konnten, frustrierend für diejenigen, die nach einem anderen Sinn suchten. Schließlich war ja nicht einmal Symptombekämpfung möglich.

Geknebelt war niemand, aber zu Kommunikation kam es nur in einem "gewissen" Rahmen. Schuld daran waren zum Teil die Schuldgefühle aller Beteiligten. Die der Benützer, die ja gezwungen waren, bestimmte Aktivitäten vorzutäuschen und die der Betreuer, die ihre Doppelmoral verbergen mußten. Etwa, wenn sie die Einhaltung von Regeln verlangten, die sie selbst nie eingehalten hätten oder wenn sie sich klar darüber waren, daß sie dazu beitragen sollten, Menschen an ein System anzupassen, das sie selbst ablehnten. Wenn sie sich dazu hergaben, von intelligenten Menschen zu erwarten, etwa als Straßenkehrer zu arbeiten oder kreative Äußerungen als Hindernis für eine objektive Verbesserung anzusehen.
Mit dieser Doppelmoral kämpfen viele Sozialarbeiter und deshalb ist vermutlich der Sozialarbeiterjargon entstanden, dessen Ziel es ist, von den Klienten nicht verstanden zu werden. Da gibt es die "Agros" (Agressionen), den "Frust" und den S-V (Selbstmordversuch), "Fantasie" wird fast immer im Plural verwendet und bedeutet Wahnvorstellung. Da ist von "Ecken" die Rede (das "Eck" bedeutet so etwas wie "Standpunkt" oder "Aspekt" - stammt vermutlich von dem Wort "Betrachtungswinkel" - des Sozialarbeiters selbstredend) oder von "Latten", die "gelegt werden" (= Regeln, von denen man annimmt, daß sie nicht eingehalten werden), usf. Wenn der Klient nach so einem semitherapeutischen Gespräch dann genügend verwirrt ist, dann fragt man ihn am besten: Und wie gehts dir damit? Er sagt, beschissen und der Sozialarbeiter ist froh, denn endlich ist Kommunikation hergestellt. Eines aber ist immer klar, nämlich, wer die Regeln auf- und die Fragen stellt. Der andere kann darauf eingehen oder es verweigern. Das erste führt zu einem "Vertrag", das zweite zu einem "an die lange Leine legen". Der Jargon - und jeder Jargon - ist dazu da, zu vertuschen, daß die Sprache systematisch auf die Befehlsform reduziert wird. Das ist es, was ich als Sprachverwahrlosung bezeichne.
Damit bin ich also beim Thema "Sprache als Gefängnis" angelangt. Manchmal denke ich, daß der Wittgenstein die Falschen zum Schweigen gebracht hat. Die einen plaudern und schreiben und halten Reden, während die sogenannten kritischen Menschen stundenlang darüber nachdenken, welches Wort sie verwenden sollen, um schließlich nichts zu sagen. Dem ersteren stimme ich zu, dem zweiten nicht. Ich meine, daß wir die Sprache als Kommunikationsmittel wieder aufwerten sollten. Um über die Sprache wieder zum (gemeinsamen) Handeln zu kommen. Denn geknebelt sind wir nicht. Und wenn sich auch niemand vor uns fürchtet, so könnte es uns gelingen, unsere Angst abzubauen. Dann müßten wir nicht mehr herumstrategieren und -taktieren, einmal diesen und einmal jenen Mißstand anprangern. Wir könnten

beispielsweise - und jetzt werde ich endgültig banal - gelegentlich, aber laut und eindeutig, fordern, dieses grausliche Gesellschaftssystem tatsächlich und grundlegend zu ändern (was - soviel ich weiß - keine politische Partei in Österreich tut) und müßten uns nicht darauf beschränken, an Einzelheiten herumzukritteln. Einmal sind wir gegen den Krieg, dann gegen die Justiz, dann für ein Jugendzentrum, dann wieder gegen ein Kraftwerk, gegen die Psychiatrie, gegen die Apartheid, Pinochet und Frischenschlager.
Es gibt so viele Bewegungen, aber von Bewegung keine Spur.

Karin Jahn, Autorin (50% Journalismus), hat unzählige Jobs hinter sich. Nicht nur Sympathisantin von Randgruppen. Ist FÜR Revolution (allerdings nicht mit Putsch zu verwechseln) - etwas Grundlegendes, das sie nicht angeblichen Naturgesetzen überlassen möchte, obwohl das vermutlich nicht gelingen wird.
Orientierung: Camus (Philosophie), Kafka (Literatur), Freda Meissner-Blau (Politik).

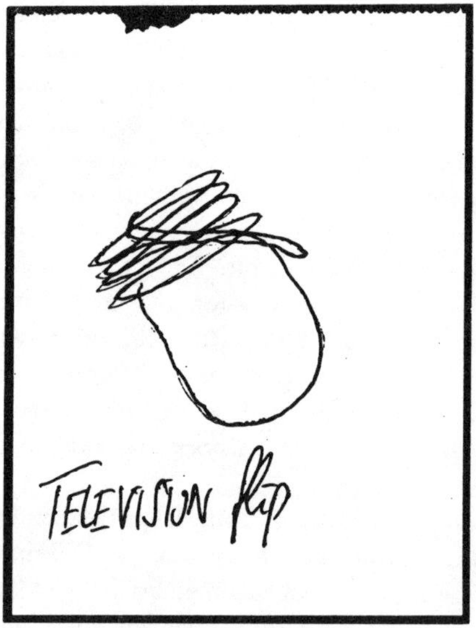

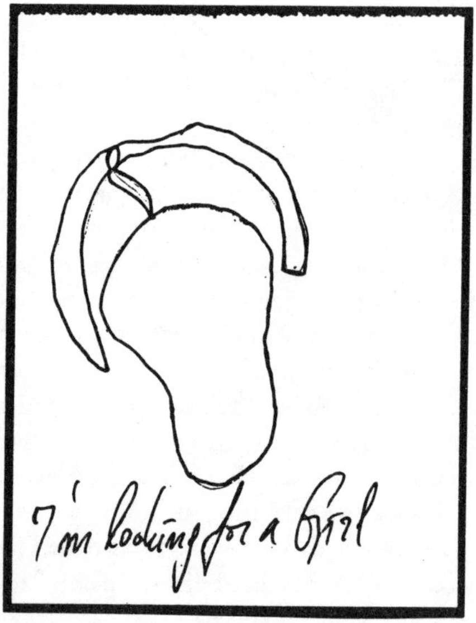

*) Dr.Kurt Neumann ist Organisator kultureller Veranstaltungen der Alten Schmiede, Wien.

Christian Dunkl

Ruaf mi do an!

1.

I Denk an Dich
jezt is ma Klahr,
Du bist nima bei Mir,
Aus is mit uns, Kalt is in mir,
Leaa und Einsam is bei Mir,
Komm wieder Ham, Wei Du föst ma so sehr
I häng auf Di, wei i Di Mag, Ruaf do endlich an,

Refrain:
Ruaf mi do an, Heut nacht, Geh Ruaf mi do endlich an,
I heutzs net aus, ohne Di, Ruaf mi do an, oh ....

2.

Du i Mag Di No, Dan Foha doch zu mir,
Wei i sehn mi so nach Dir,
Oda hast Du, An andan Schwam,
Dann iss bessea, wanst bleibst,
I wü Di No ameu Gspürn, Heut Nacht,
So wie Dameus, vor an poa Joahn,
Dan ruaf do endlich wida an,

Refrain 2x
Melodie solo
Refrain 3x

Seit dem zweiten Lebensjahr in Heimen, Sonderschule, anschließend 5 Jahre obdachlos, jetzt 21, lebt größtenteils von Sozialhilfe.

Thomas Northoff

Führt (euch) endlich (eure) Ordnung ein !!!

Mit Wohlgefallen werden Redereien von Politikern aufgenommen, die als Aufforderung an Alle gelten, sich kritisch den täglichen Problemen zu stellen, statt Konsumdenken das Nachdenken zu pflegen und durch Mut zur Zivilcourage die objektiv überprüften Erkenntnisse nachdrücklich zu vertreten - etwa so, wie sie, unsere vorbildlichen Politiker, es tun.
Das Geschimpf über Nonsensliteratur nicht beachtend, kann man beispielsweise viele Zeitungen lesen, um sich ein lebendiges Bild von der Wirklichkeit machen zu lassen.
Man soll speziell die Jugend positiv beeinflussen, ihr Toleranz und Diskussionsfreude entgegenbringen, ihr durch Aufzeigen hierarchischer Strukturen zur Mündigkeit verhelfen. Denn das unterscheidet uns ja von den totalitären Systemen dort drüben, heißt es, daß bei uns jeder sagen darf und sogar sagen soll, was er denkt. Unter anderem haben wir kraft unserer Steuergelder eine hervorragend gerüstete Exekutive zum Schutze unserer Meinungsfreiheit. Wir werden aber trotzdem weiterhin noch mehr demokratisiert werden, bis an die Basis. Nazis werden als Bundespräsidentschaftskanditat, zur Hochschülerschaftswahl und mehr zugelassen, denn die Demokratie geht uns über alles. Wir sollen bei aller Informationsflut immer auch zwischen den Zeilen lesen (lernen).
Das ist schön, das ist gut, und es hört sich seit eh und jeh prima an. Weniger die Rede ist vom Ausüben der Freiheit. Nur manchmal wird trocken konstatiert, daß bei uns die Ausübung der Meinungsfreiheit gewährleistet sei.

Freitag, 1. Mai. Über dreißig Personen gehen durch offene Türen in ein durch jahrelange Vernachlässigung entwertetes leerstehendes Haus, erklären es als besetzt und wollen es herrichten, instandbesetzen. Na sowas! Ein altes Haus erneuern - und das in einer Wegwerfgesellschaft, in welcher zum Sparen an Energie aufgerufen und gleichzeitig in Funk und Fernsehen Werbung betrieben wird, die eindeutig zum Stromverbrauch auffordert.
Im menschenfreundlichen Mariahilf läßt sichs leben. Wem fad ist, der möge Auslagen anschauen gehen, der möge sich irgendwo mit Bekannten treffen. Es gibt genügend Gaststätten und Lokale. Nach Entrichten der Eintrittsgebühr braucht man nur noch eine Konsumation und dann - denken Sie bitte daran,

daß es sich nicht gehört, stundenlang bei einem Getränk zu verweilen - die nächste und die nächste. Am besten, man wählt Alkoholisches, das braucht man ohnedies, um im aufgezwungenen Rahmen kommunikationsfähig zu werden, und der Staat braucht die Steuern.
Jedoch: Achtung vor Haschischhütten!
Die Hausbesetzer hätten den Rahmen ihres Hauses von vornherein kommunikationsfreundlich gestalten wollen. Die Hausbesetzer haben niemandem etwas getan. Sie bewegten sich daher eindeutig auf dem Boden der Illegalität.

In einer nahegelegenen Gasse betreiben ein paar Südafrikaner ein Kommunikationszentrum, das Andino, das wohl mit gastwirtschaftlichem Aspekt geführt wird, aber wenn man Lust und Marie hat, will man ja schließlich was trinken, und die Leute vom Haus müssen ja auch leben. Es ist ein schönes altes Haus, renoviert außen und auch drinnen etwas regeneriert. In dem Haus herrschte zwar ein irres Gedränge auf Grund eines herrschenden Festes einer linken politischen Gruppe, ein Fest zum 1.Mai, dem von den Sozialpartnern verharmlostem Kampftag der Arbeiterklasse, aber das Geschiebe war nur wegen der vielen Leute und nicht, weil die Leute so drängten.
Im ersten Stock war eine feste Diskussion bezüglich der VEW im Laufen. Vielleicht wäre es klüger gewesen, den darauffolgenden Film über das VEW-Übel schon vor der Diskussion zu zeigen, dann hätten nämlich einige, die gekommen waren, um darüber informiert zu werden, der Diskussion lebendiger beiwohnen können.
Für nach dem Film stand ein Konzert des mit Abstand ergiebigsten Liedermachers der immer größer aber auch belangloser werdenden Wiener Szene auf dem Programm.

Die Menschen hocken auf den Stufen, sofern sie nicht in den Bewirtungsräumen Platz gefunden hatten, quatschen miteinander, diskutieren oder sehen sich Informationsschriften über Südamerika an, die käuflich erwerbbar sind, aber niemandem aufgezwungen werden. Es hatte auch kein Mensch Eintritt zahlen müssen, und die obligate Spende von 25 pro Nase an die festveranstaltende politische Gruppe findet man im Drinnen an der Wärme der allgemeinen Wellenlänge als durchaus o.k.

Zeitweise war es sehr angenehm, sich von einer höheren Stufe aus das unhektische Gewurle rein optisch zu geben. Da tröpfelten plötzlich wenige Teilchen in die Masse ein, deren Fortbewegung nach einem Verhaltensmuster ablief, das Aufregung signalisiert und überträgt und zwar Aufregung über etwas, das diese

mit Recht genährt hatte. Eine Bekannte und ich versuchten an eines der Aufregungszentren heranzukommen. Das besetzte Haus sei von Polizei und Feuerwehr geräumt worden, sämtliche Besetzer verhaftet.
Daß viele Festbesucher sich nicht dafür interessierten, war der Anfang eines Chaos. Es entstanden Menschenknäuel, alle hatten ratlose Gesichter aufgesetzt. Keiner wußte Genaueres. Diejenigen, die die Hausräumung beobachtet hatten, waren, patschnaß vom Regen, emotional zu aufgeladen und brachten es nicht fertig, halbwegs koordiniert und zielführend zu berichten. Sie riefen die Aufforderung in die Menge, sich vor den Eingang zu begeben und zu einer kleinen öffentlichen Kundgebung für die Freilassung der Hausbesetzer zum Haydenplatz zu bewegen.
Das Echo auf ihre Aufforderung war schändlich gering. Ich schlug einer Wortführerin vor, in allen Sälen den Abmarsch für 10 Minuten später zu verkünden und dann auch wirklich loszugehen. "Warum denn erst in 10 Minuten", regte sie sich mit Flecken im Gesicht auf, "wir marschieren sofort!". Fragte sich nur, mit wem. Einer der Festorganisatoren war für die Kundgebung, bestand jedoch auf die Fortsetzung eines "gewissen" Minimalprogrogrammes im Andino. "Sonst fehlt uns die Basis", intellektualisierte er.
Vom Ein/Ausgang unten sprach es sich inzwischen herauf zum ersten Stock: "Die Polizei steht schon bis ins Haus!"
Meine Bekannte und ich wurschtelten uns zum Eingang hinunter und staunten ordentlich über die tatsächlich anwesenden Amtsorgane. Wir hörten, wie ein vermutlicher Besitzer des Andino, den wir eine Weile zuvor schon geschäftswichtig zwischen Gasträumen und Büro pendeln sahen, eher belustigt über seine Gäste zu einem Mitarbeiter rief: "Ein paar Manderln wollens auftreiben, wegen der Hausbesetzer!"
Mit dem Weinglas in der Hand arbeiteten wir uns vor das Andino, wo wir die Augen noch weiter aufrissen, über das wie selbstverständlich umherlehnende Aufgebot an Staatspolizei und uniformierten Unterläufern.- In einer bedrohlichen Situation hätten zwei dieser Mannen mit Pistole zur völligen Kontrolle des Zuganges und damit der drinnen Anwesenden mitsamt deren Kindern genügt.
Die paar versammlungsbereiten Sympathisanten blieben noch im Hausinneren. Sie wollten kein überflüssiges Gesichtsbad vor der Stapo riskieren.
Wir beide dachten, spätestens beim Nachhausegehen würden wir ohnehin gesehen werden und beschlossen, mit unseren Getränken, wie um Luft zu schnappen, uns langsam vom Andino zu entfernen. Das ging völlig problemlos unter den Augen des Gesetzes. Was heißt hier Gesetz?

Insgesamt tröpfelten auf diese Weise an die 20 Leute aus dem Lokal und strebten nicht zu schnell und nicht zu langsam in Richtung Mariahilferstraße-Haydenplatz.
Kurz darauf setzte sich auch eine Formation von etwa 40 Hausbesetzersympathisanten vom Andino aus in Bewegung. Hinter ihnen, fast drängend und das Mindesttempo bestimmend, durfte eine blaulichtschießende Fufi nicht fehlen. Die Marschierer riefen "Freiheit für die Hausbesetzer" und legten, die Grünen im Buckel, beschleunigtes Tempo ein. Auf der Mariahilferstraße wurden wir von dem kleinen Zug eingeholt. Wir hängten uns in die zweite der sechs schmalbrüstigen Demonstrantenketten ein. Der Marsch dauerte noch einen halben Häuserblock lang an.
Zwischen der Würstelstandecke und der Ecke, die dem Glasgeschäft Slama gehört, bremste sich neben dem Zug plötzlich ein mit vollausgestatteten Polizeikämpen angerammelter Wagen vom Typ "Überfallskommando" ein, dessen Länge dem des ganzen Demo-Zuges entsprach. Mit Ausrufen wie "Jetzt paßts auf es gschissanan Huanhund!" und "Jetzt hau ma eich de Goschn ei!" machten sich die auf ihre Demokratie vereidigten Beamten Mut und stürzten wie die Berserker aus dem Wagen.
Ohne Zusammenstöße rannten die wenigen Kundgebler davon. Die Grünen mit ihrem schweren Schuhwerk polterten hinterdrein. Wir beide und ein sehr junges Mädchen sprangen auf den Gehsteig und setzten in normalem Gehtempo unseren Weg fort. Den Laufenden wurde von einem aus der Gegenrichtung heranbrausenden Mannschaftswagen schon an der Querstraße der Weg abgeschnitten. An der Ecke stauten sich nun die Demonstranten. Mehrere von ihnen wurden von festen Ordnungshänden an Haaren oder Kragen gepackt und ohne Umschweife zu Boden gezerrt und getreten. Wer sich nicht mehr, ohne einen Polizisten anzulocken, verflüchtigen konnte, stand ängstlich umher und tat unschuldig. Es blieb nur die Wahl, zuzusehen, wie unsere Polizei uns vor uns selber schützt, oder den Schlägern ins Gesicht zu hüpfen. Die Gesichter der meisten Grünen waren von nun herabgeschobenen Plexiglasvisieren geschützt, und Haue auf den Körper spüren die durch den dicken Uniformstoff sowieso nicht. Angeklagt würde man wegen Widerstandes gegen die Staatsgewalt, denn der Staat sind wir, und wegen Körperverletzung, denn verletzt werden wir.

Ein Einsatzmann fiel über die eigenen Haxen und schrie daraufhin sofort nach Verstärkung. Mit verkrampft hartem, entschlossenem Gesicht, wie ein Soldat, der beschossen wird, aber keine Deckung hat, tief in die Knie gegangen, platzte ein anderer Beamter in sein Sprechfunkgerät: "Bringts Verstärkung! Mia

brauchn Verstärkung!" Der Hilferuf war nicht nötig, denn innerhalb von 4 Minuten, nachdem der Einsatzleiter die ersten Polizisten auf die Demonstranten losgelassen hatte, ertönten von allen Seiten und aus allen Gassen wilde Folgetonsignale. Überall pfefferten die Einsatzleuchten ihr zerhacktes Blaulicht in die stoische Neonnacht.
Wer konnte, entfernte sich bedächtig unauffällig durch die Seitengassen. Jedoch waren einige Häuserblocks schon von Polizeieinheiten umstellt. In den Seitengassen wurden Ausweiskontrollen durchgeführt und sicherheitshalber präventiv und zur Warnung weitere Menschen abgeführt.
Vollkommen ruhig, aber mit Fotoaugen spazierten Staatspolizisten herum und sprachen in ihre Walkie-Talkies, die offen oder unter den berühmten grauen Staubmäntel hingen, erkenntlich an den unterm Kinn vorbeiragenden Antennen. Es ist wirklich eine Freude, wie sicher man sich in Wien fühlen kann. Stapo ist in unserem Interesse überall zur Stelle, wo es uns brennt und wir das Feuer löschen wollen. Ja, sie kommen total unauffällig, so zum Beispiel mit einem hellen VW-Bus, auf dem außen die große Reklameanschrift "Vienna-Sightseeing-Tours" den gemeingefährlichen Wahrheitsagern die Wahrheit des Schutzmechanismus verschleiern sollte.

Die Polizeiaktion war jedenfalls derart gespenstisch schnell und erfolgreich gelaufen, daß die Menschen eher fassungslos dastanden, anstatt ihrer Freude über die organisierte Sicherheit in dieser Stadt Ausdruck zu verleihen. Hätte sie Schwerverletzte gefordert, auf die Rettung wäre noch zu warten gewesen. Aber mit Sicherheit wäre auch sie gekommen, mit wegen der spätabendlichen Ausfahrt angefressener und über die wilden Demonstranten empörten Mannschaft. So wie vor dem Gesetz bekanntlich alle gleich sind, sind es ja auch vor den Ärzten alle von den Gesetzeshütern verletzte Gesetzesverletzer, speziell dann, wenn sie gegen Gesetze, die Menschenrecht verletzen, auftreten und von eigens zum Schutze dieses Rechtes vereidigten Mitmenschen vor solchen Auftritten gehütet werden. Man weiß, wie von Medizinern bei solchen Gesetzesverletzern Verletzungen nicht protokolliert werden - "weil ma do goa nix sicht" - , im Gegensatz dazu aber bei den Polizisten ganz offensichtlich anzeigepflichtige Verletzungen aus dem Körper wachsen gehört und die Organe in den Krankenstand geschrieben werden.

Wer nach diesen befriedigenden Aktivitäten immer noch glaubte, nicht alles zu wissen, spielte den harmlosen Passanten und kreuzte, zum Ort der Begebenheit schielend, beim Würstelstand wieder auf.
An mehreren Häuserecken, so auch hier beim Würstelmanneck, hatten sich

die Polizeikohorten schön nach Größe in Reihen und Gliedern versammelt, den Blick streng zum Ranghöchsten ausgerichtet, in Erwartung des nächsten Befehles zu einem Demokratiebeitrag.
Damit man nicht verstampert werden konnte, gönnte man sich ein Bier oder eine Burenhaut. "Wollen Sie die Polizei nicht wegen Geschäftsstörung klagen?" fragte ich den Würstelstandbetreiber. Der wachelte grinsend mit der Hand und sagte: "Des samma eh scho gwöhnt, des is jo scho jedn Tog a so." "Jedn Tag?", wunderten sich die Würstelesser. "Davon liest man aber nie etwas in der Zeitung." Man hoffte, daß nun eventuellen Unsympathisanten was auffallen würde. "Wos brauch ma des lesn, wonn mas eh ollaweu segn", lautete die enttäuschend kurzsichtige Antwort. Nach einer Weile, zu tun gab es nichts mehr, außer in eine menschenleere Straße voll grüner Rechtsstreiter zu glotzen, latschten wir frustriert zurück zum Andino.

Also zurückgekommen. Die gleichen Massen wie vorher, eher noch mehr. Es ging nicht mehr um VEW, hingegen hatten sie, unter Leitung von Aktivisten der politischen Gruppe, die Demonstration voll im Munde. Man erfuhr von Verhaftungen. Ein Einsatzkomitee zum Schutz der Rechte der Verhafteten wurde gebildet. Dieses wollte über amtliche Stellen in Erfahrung gebracht haben, daß von den Hausbesetzern und Sympathisanten insgesamt 42 Personen festgenommen und sofort ins Gefangenenhaus transportiert worden seien.
Gefangenenhaus statt Bezirkskommissariat, das bedeutet erkennungsdienstliche Behandlung der amtsbehandelten Leute. Fotos, Fingerabdrücke, Einspeicherung in Computer.
Die rechtlich gebildeten Helfer gaben sich der publikumswirksamen Illusion hin, die Verhafteten über ihre gesetzliche Situation aufklären zu können, wenn sie nur deren Namen wüßten. Sie betrieben damit aber wider besseres Wissen nur Werbung für ihre Gruppe, denn auch wenig rechtsgebildete Aktivisten müßten schon aus eigener Erfahrung wissen, daß der Gefangene mit keinem Freien in Kontakt treten darf, selbst mit dem Anwalt nicht, solange er im Sicherheitsbureau traktiert wird, beziehungsweise ihm im Gefangenenhaus noch keine Besuchsbewilligung erteilt worden ist. Diese zieht sich jedoch dahin, speziell an einem Feiertag mit darauffolgendem Wochenende. Auch kann den Agitatoren der Gruppe der Vorwurf eines in solchen Fällen sehr gefährlichen Zweckoptimismus nicht erspart bleiben. Es hätten, so verbreiteten sie, die Verhafteten eine Verwaltungsstrafe rund um die 1000 Schillinge zu gewärtigen. Der Einwand, es müsse an Rechtshilfe und Zeugenschaft für die Verhafteten in Bezug auf Anklage wegen Widerstandes gegen die Staatsgewalt hingearbeitet werden, wurde bewußt übergangen. Es ist jedoch nur zu logisch,

daß Personen, welche von der Exekutive zu Boden getreten und dabei vielleicht verletzt wurden, von der Exekutive natürlich wegen Widerstand angezeigt werden müssen, wodurch bei einer Gegenanzeige die Körperverletzungen an den Verhafteten schon begründet wären.
Verwaltungsstrafen und Anklage bei Gericht in Bezug auf dieselbe Tat schließen einander nicht aus. Mit dem Herausholen der Verhafteten allein ist es also noch lange nicht getan. Davon wollten die rechtskundigen Kleinpolitiker leider nichts wissen oder sagen. Umso deutlicher hingegen wurden die versammelten Nichtdemonstrationsteilnehmer darüber aufgeklärt, in welchem kleinen Buchladen - und zur Festigung des Werbeeffekts gleich noch einmal: in diesem kleinen Buchladen - man sich in den nächsten Tagen über den Stand der Dinge unterrichten lassen wird können.
Da ein Sprecher von der Anwesenheit der Stapo im Saale überzeugt war, deutete er nur vage eine Flugblattverteileraktion für tags darauf am Flohmarkt und beim Stadtfest an, wofür die Aktivisten noch Aktivisten suchten.
Es wurde nun von einem der Sympathisanten, die sich schon seit kurz nach der Hausräumung am Haydenplatz aufgehalten hatten, von der Drohung eines höheren Polizeiobermachers berichtet, sofort zuzuschlagen, wenn sich die Sympathisanten noch einmal irgendwo versammeln würden. Genau diese Situation war aber jetzt im Andino gegeben. Die vermuteten Staatspolizisten hätten jederzeit die Grünen herbeiordern können. Damit mußte auch ernstlich gerechnet werden. Man hätte mit einiger Disziplin den Aufstand gegen die Gewalttäter und deren Sympathisanten versuchen können. Beim ersten Vorzeichen für gewalttätiges Eindringen der Polizei ins Haus wird der Saal sofort geschlossen und verbarrikadiert. Man täuscht Verhandlungsbereitschaft vor. Von den Aktivisten der politischen Gruppe werden ohne Verzögerung und Diskussion Vertrauenspersonen ernannt und kurz optisch vorgestellt. Jeder Anwesende hat sich nackt auszuziehen. Die Gewänder werden von den Vertrauenspersonen gefilzt. Wer nicht mittut, ist verdächtig. Bei wem man eine Erkennungsmarke der Stapo findet, der wird als Geisel genommen. Gibt die Exekutive kein freies Geleit für Verhaftete und Anwesende, so wird mit Gewalt gegen die vermutlich geringe Zahl von Staatspolizisten vorgegangen. Eine ausführliche Diskussion über eine Resolution über Notwendigkeit von Hausbesetzungen im Zusammenhang mit unseren gesellschaftlichen Verhältnissen in den Medien muß stattfinden.
Da hätte man auch die wahre Solidarität der Anwesenden, die zuvor dem Aufruf zur Demonstration nicht gefolgt waren, aber jetzt wichtig taten, überprüfen und daraus Lehren für kommende ähnliche Situationen ziehen können.

Zum Schluß kam es doch noch zum Konzert des Liedermachers, der durch seine ehrliche Spontaneität und die Essenz seiner Lieder eine weniger bedrückte Stimmung in die Menge brachte, ohne die bedrückenden Tatsachen zu verwischen.

Die Ereignisse um die Hausbesetzung fanden in den Zeitungen nur wenig Öffentlichkeit. Die Meinungsmache zielte auf Gleichsetzung von Demonstranten und mordenden Terroristen. Es stand von wilden Tumulten, von Transparenten und beschädigten Autos geschrieben.

Man erinnere sich eines Ausspruches des Wiener Bürgermeisters anläßlich der Wirbel um die 1.März-Demo, welcher hier sinngemäß wiedergegeben sei: Man kenne die Leute ja schon sattsam von der Arena, vom Burggarten und von der Phorushalle her. Diese Leute wollen gar nicht erst reden.
Der Bürgermeister meinte offenbar, wer nicht hören will, der müsse fühlen. Da würde es aber höchste Zeit, daß einige Stadtväter zu fühlen bekommen, was sie diesen Leuten durch die Polizei auf den Kopf vollziehen lassen. Denn lange vor und lange nach der Arena wollten die Leute reden, aber reden haben genau die trefflich empörten Stadtväter nicht mit sich lassen. Bei keiner der von ihnen angeführten Gelegenheiten. So wärs kein Wunder, wenn jene Menschen, die den Rathausmännern schon so lange bekannt sind, einmal beginnen, nicht mehr zu reden gegen die Winde der Stadtobrigkeit, sondern vorzeigen, was gegen sie ganz legal geschieht: Primitiv irgendwo hineindreschen.

Bei den ebenfalls winzigen Folgedemonstrationen für die Hausbesetzung war sogar einmal das Fernsehen dabei. Österreichbild. Gezeigt wurde ein kleiner sogenannter Tumult am Graben.
Aussage einer alten Frau, in der Zwischenkriegszeit noch alte sozialdemokratische Kämpferin, nach Ansehen der Berichte: "ES MUASS WIEDA A KRIAG KUMMAN.....DE JUNGAN, DE WOILLNS JO NET AUNDERST!!!"

Hurraa! Hiatzn is endlich wieda ollas kloa!!!

Thomas Northoff, Autor, arbeitete mit gesellschaftsbedingt verhaltensauffälligen Kindern; war vier Jahre lang Hauptschullehrer; persönliche Erfahrungen mit Polizei und Justiz.

Peter Strasser

Hegels Sehnsucht oder das Leben des Begriffs im Raume der Gewalt

"Die Welt ist kein Komplize unserer Erkenntnis. Es gibt keine prädiskursive Vorsehung, welche uns die Welt geneigt macht. Man muß den Diskurs als eine Gewalt begreifen, die wir den Dingen antun; jedenfalls als eine Praxis, die wir ihnen aufzwingen."

(Michel Foucault)

Es gibt eine Art von Vernunftkritik, die ihrem Wesen nach Kritik der Gewalt ist, die dem Akt des Redens selber innewohnt. Demnach läuft die Anwendung eines Begriffs auf ein Ding stets und notwendig darauf hinaus, das Ding zu verdinglichen. Diese Kritik unterstellt, daß die Wahrheit des Dings bei dem Versuch, sie in Begriffe zu fassen, auf eigentümliche Weise verunstaltet wird. Die Wahrheit des Dings entzieht sich dem Betrachter, solange er es nicht als Teil des GANZEN - was immer das ist - erfaßt. Hegel war der letzte große Philosoph des Abendlandes, der dachte, eine solche, die Dinge nichtverdinglichende Betrachterposition sei einnehmbar. Auf der Stufe des absoluten Wissens, wo der Geist sich in seinen Objekten wiedergefunden hat und derart sich selber vollkommen transparent geworden ist, hat der Betrachter - das reine Geistwesen - immerfort nur sich selber zum Gegenstand, ohne dabei seiner Wahrheit noch Gewalt anzutun. Der Betrachter muß, um dies leisten zu können, mit seinem Gegenstand - sich selber - identisch sein, doch so, daß er mit sich nicht vollends identisch ist: um sich selber begreifen zu können, muß der Geist im Zustande der Subjekt-Objekt-Spaltung verharren, ansonsten er sich als sein eigener Denk-Gegenstand abhanden käme. Gefordert ist also, gemäß Hegels vertrackter Wendung, die Identität von Identität und Nichtidentität. Aber wie man diese Wendung auch dreht und wendet, sie kommt der Forderung gleich, den Betrachter überhaupt zu eliminieren. Das haben die Mystiker aller Schattierungen seit jeher gewußt. Die Einswerdung von Subjekt und Objekt, die ekstatische Verschmelzung des vereinzelten Ichs mit der Allheit führt stehts in das Jenseits dessen, worüber noch gesprochen und nachgedacht werden kann. Hegels Stufe des absoluten Wissens ist, recht besehen, die Sphäre des reinen Om Om, in der es weder Dinge gibt noch Betrachter und folglich auch keinen Begriff. Derart gibt es dann freilich auch keine Verdinglichung mehr.

Die Hegelsche Sehnsucht war die des Mystikers, gebrochen durch die Gewißheit der Aufklärung, ein Ende der Gewalt - d.h. Wahrheit, Erlösung - könne es nur geben im Medium der Vernunft und daher jedenfalls nicht ohne die "Anstrengung des Begriffs". In der Tat könnte man ja behaupten, die mystische Exstase sei ein Exerzitium höchster, unüberbietbarer Gewalt. Ihr Ziel ist nicht weniger als die Auslöschung, die Vernichtung des Subjekts - ein Vorgang, für den es auch das Wort "Abtötung" gibt. Das vollkommene Leben, so könnte man sagen, ist der Tod. Georges Bataille hat um dieses Phänomen herum seine große Apologie der Gewalt errichtet: Das Heilige macht nicht umsonst zittern; denn der Kontakt mit ihm ist ein Augenblick alleszerstörender Gewalt (die freilich höchste Lust in sich schließt). Demgegenüber ist das Hegelsche Erlösungsszenario, wiewohl es auf einer Unmöglichkeit beharrt (eben der Identität von Identität und Nichtidentität), ein zutiefst durch Aufklärung geprägtes. Für Hegel ist gerade das begrifflose Sein der Ursprungsort der Gewalt. Befrieden heißt begreifen, auch wenn begreifen verdinglichen heißt. Wo es kein Begreifen mehr gibt, dort gibt es nur noch die Nacht blanken Seins: den Tod jenes Lebens, das Subjekt sein kann.

Hegels Sehnsucht lebt fort und fort. Und es ist wohl nicht übertrieben, wenn man behauptet, in ihr wurzle eine jener Spannungen, die das unglückliche Bewußtsein der Moderne prägen. In den sechziger Jahren dieses Jahrhunderts haben Horkheimer und Adorno (nicht aber Herbert Marcuse, der immer wußte, wo's lang geht zur Vollendung der Menschheitsgeschichte) darauf beharrt, Hegels Sehnsucht dürfe nicht verloren gehen, freilich auch nicht die Einsicht, jene Sehnsucht habe kein erreichbares Ziel. Humanität und Wahrheit im emphatischen Wortsinn werden hier als ebenso unverzichtbare wie unerfüllbare Ideale gedacht. Adornos Negative Dialektik, die 1966 erschien, war die unüberbietbare Thematisierung dieses Komplexes. Von ihr aus muten die Versuche der achziger Jahre, zu einem "postmodernen" Bewußtsein durchzubrechen, das sich seines Unglücks endlich entledigt hätte, vielfach als Regressionen an. Man ist - wieder einmal - ganz versessen auf die Preisgabe des Subjekts der Aufklärung, welches lustigerweise einerseits als zersetzend, andererseits als verdinglichend gilt. Die Propagandisten des New Age gieren nach kosmischer

Einheit, indessen die französischen Meisterdenker mit Chaos, Anarchie und Ich-Zersplitterung liebäugeln, jüngstens auch mit einer seltsam neurunden Welt, deren Insassen an die Stelle einer Kritik der politischen Ökonomie die Ästhetisierung ihrer entfremdeten Lebensverhältnisse setzen.

Hegels Sehnsucht ist unerfüllbar. Also gibt es - um es frei nach Jacques Derrida zu sagen - immer nur eine Ökonomie der Gewalt des Begreifens, nicht deren schlechthinnige Aufhebung. Mag sein, daß der Sprache an sich ein Moment der Gewalt innewohnt. Die Sprache war von Anfang an ein Werkzeug des Überlebenskampfes. Aber sie ist gleichzeitig dazu angetan, das Subjekt aus dem Bann dieses Kampfes heraustreten zu lassen, allerdings niemals zur Gänze. Mag sein, daß die Selbstvergessenheit des Spiels und die Selbstvergessenheit des Lachens das Subjekt dem Gewaltkreis des Lebenskampfes definitiver entrücken, als hierzu die Sprache als ein Mittel der Welterkenntnis jemals fähig ist. Indes sind Spiel und Lachen überhaupt keine Elemente einer Ökonomie der Gewalt. Sie sind vielmehr Nischen-Phänomene. Im Meer des Fressens und Gefressenwerdens gibt es Schlupfwinkel, worin für Augenblicke himmlischerweise alles um sich selber willen zu geschehen scheint. Allerdings sind dies dann auch die Augenblicke vollendeter Hilflosigkeit. Das Phänomen der Sprache ist kein Nischen-Phänomen in diesem Sinne. Die Erkenntnisleistungen, die durch die Verbegrifflichung des Welterlebens möglich werden, sind eine spezifische Antwort auf die Herausforderungen durch den Druck der Realität. Doch die Antwort ist so geartet, daß sie das Subjekt in die Lage versetzt, von konkreten, raum-zeitlich vereinzelten Daseinszwängen zu abstrahieren, bis hin zur Etablierung von Gesetzeswissen, das auf die Grundstrukturen der Welt zielt.

Freilich bleibt dabei von der Mannigfaltigkeit des Sinnenscheins nichts mehr übrig. Newtons Apfel fällt zu allen Zeiten und an allen Orten nach den immergleichen Gesetzen der Gravitation; dabei ist das Aussehen des Apfels, ja der Apfel selber für die Wirksamkeit der Gesetze nebensächlich. Indem der Mensch denkend aus der Kette der Anlaßsituationen des Lebenskampfes heraustritt, potentieren sich seine Reaktionskapazitäten, und zwar aufgrund des Erwerbs abstrakten technischen Wissens. Dieses allerdings basiert auf einer radikalen Entsinnlichung der Welt, von der schließlich bloß noch ein Formelzusammenhang, gebildet aus mathematischen Strukturen und quantitativen Begriffen, zurückbleibt. Mag sein, daß hierin ein spezifisches Moment der Objektvergewaltigung durch Sprache, also der Verdinglichung der Dinge, gründet. Aber die Ökonomie der Gewalt des Begreifens verlangt zu sehen, welche Emanzipationsprozesse durch Verdinglichungsprozesse generiert werden; verlangt allerdings auch zu sehen, daß es eine Dialektik der Emanzipation gibt.

Die Befreiungsverhältnisse von gestern werden heute schon von vielen als Gewaltverhältnisse empfunden. Dies hängt mit mancherlei zusammen, vor allem aber damit, daß eine technisch induzierte Entlastung vom Naturgeschehen die Rückkehr kontemplativer Bedürfnisse fördert. Im Gehäuse des industriellen Universums festgewachsen wie manche Lebewesen in ihren Panzern sehnen wir uns nach dem Unmöglichen - danach, nun endlich, endlich als Befreite zu leben unter dem Vorzeichen einer Naturerkenntnis, die Naturanschauung ist. Was immer "Anschauung" heißt - Goethes Forscherideal kommt einem gleich in den Sinn - , gemeint ist eine Erfahrungsweise von Natur, die diese als nicht-verdinglichte "auf den Begriff bringt". Doch alles Gerede über das Erfordernis einer Wiedereinbindung qualitativer, ästhetischer und physiognomisierender Wahrnehmungsmuster ins Erkenntnisgeschehen kann die eine Wahrheit nicht beseitigen: daß es den Begriff, der nicht verdinglicht, nicht gibt. Stattdessen gibt es eine Ökonomie der Gewalt des Begreifens. Der Fortbestand des Subjekts hängt am Fortbestand der Verdinglichung. Und die Alternative dazu kann nicht lauten: "Subjekt, das nicht verdinglicht", denn sie lautet unumstößlich: "Tod des Subjekts".

Aber die Rede von der Ökonomie der Gewalt des Begreifens schließt auch in sich, daß das Ausmaß an Gewalt, welches den Erkenntnisobjekten durch begriffliche "Zurüstung" angetan wird, variabel ist. Gerade in bezug auf den Erkenntnisstil der Naturwissenschaften jedoch sollte man sich keinen Illusionen hingeben. Das Zusammen von hochabstrakter Begriffsbildung und größtmöglicher Voraussagekapazität, wie es für die Naturwissenschaften typisch ist, läßt sich nicht als historisch veränderliches Projekt begreifen. Wenn es sich hier um ein "Projekt" handelt, dann um eines, das - wie Jürgen Habermas einmal sagte - ein integrierender Bestandteil der Gattungsgeschichte des Menschen ist. Alles technische Wissen, wie primitiv es auch sein mag, basiert auf Abstraktionsleistungen, die über den Erwerb von naturgesetzlichem Wissen Zukunftserwartungen ermöglichen, die sich "bewähren", d.h. mit hoher Wahrscheinlichkeit konstant erfüllt werden.

Wesentlich verwickelter erscheint die Situation bei den Humanwissenschaften, soweit ihr Gegentand nicht - wie in Teilbereichen der Medizin - bloß Naturwüchsiges ist, sondern das menschliche Handeln und sein seelisch-geistiger

Hintergrund. Denn hier will der Begriff ein Objekt fassen, das selber Funktion eines Subjekts ist, welches über sein eigenes Tun und Lassen begrifflich räsoniert. Das forciert "wissenschaftliche" Vorgehen in den Humanwissenschaften bestand angesichts dieser Komplikation seit je darin, einen "objektiven" Standpunkt einzunehmen. Der Handelnde täuscht sich möglicherweise systematisch über die Ursachen seines Handelns. Daher ist das, was er die Ursachen seines Handelns nennt, für den humanwissenschaftlich angestrengten Beobachter immer nur brauchbar als "Symptom", das Auskunft gibt über Bewußtseinsverfassung, Geisteszustand und Subjektivität des Handelnden. Das Problem der Verdinglichung drängt sich angesichts einer solchen Konstellation geradezu auf. Ist es nicht so, daß wir schon im vorwissenschaftlichen Alltag den Anderen gemäß unseren eigenen Phantasmen sowie den Resonanzen, die er in uns auslöst, begrifflich zurichten? Und setzt sich dieses Spiel, dieses grausame, oft aber auch banale oder komödiantische Spiel, nicht in den Humanwissenschaften fort?

Um derlei Fragen zu verstehen, müssen wir uns ein wenig auf uns selbst besinnen. Gewiß, wir haben gelernt, uns selber zu verdinglichen. Die Gewalt, die uns von anderen angetan wird, indem sie über uns reden, denken und schreiben, haben wir zum Teil ganz in uns hineingenommen. Wir sind, über uns selber räsonierend, der Andere. Doch in dieser Haltung erschöpfen wir uns nicht (es sei denn, ein Beziehungswahn hat sich zur Psychose verdichtet). Wir selber sind uns immer auch eine Tiefe, wohin keine Begriffe reichen - eine Art blinder Fleck im eigenen Selbst. Darin besteht unsere Freiheit im metaphysischen Sinne des Wortes: nicht faßbar zu sein. Aber der Humanwissenschaftler, der sich um uns bemüht, möchte uns dingfest machen. Cesare Lombroso, Psychiater im späten 19. Jahrhundert und Begründer der wissenschaftlichen Kriminologie, postulierte, es gälte das Wesen des Verbrechers durch und durch zu erfassen. Indes, wenn wir in uns, ob Verbrecher oder nicht, hineinhorchen, dann tönt uns eine Leere entgegen, deren Lehre lautet: unser "Wesen" ist eine Mystifikation. Doch wie können wir diese Einsicht all den Lombrosos, die den humanwissenschaftlichen Kosmos bevölkern, nahebringen? Die Antwort lautet wohl: Gar nicht! Zwar können wir Lombroso beweisen, daß nicht alle Mörder einen glasigen, eisigen, starren Blick haben, nicht alle Frauenschänder ein funkelndes Auge, nicht alle Diebe einen spärlichen Bart. Nicht jeder Unsinn, der über Personen gesagt wird, verharrt im Unwiderlegbaren. Aber das Erklärungsanliegen des Humanwissenschaftlers läuft insgesamt auf eine metaphysische "Grundsatzentscheidung" hinaus. Demnach sind Personen, d.h. handelnde Individuen, einfach Dinge-mit-

Subjektivität und daher in Begriffe zu fassen (begreifbar) wie andere x-beliebige Dinge der Welt (eine ausführliche Auseinandersetzung mit dieser Problematik findet sich in meinem Buch "Verbrechermenschen. Zur kriminalwissenschaftlichen Erzeugung des Bösen", Frankfurt/New York).

Allerdings war immer schon auffällig, daß Erklärungen in den Humanwissenschaften etwas radikal Fragmentarisches anhaftet. Die Ursachen, die für Arten menschlichen Handelns - also für Typen von Verhaltensweisen, die nicht exklusiv reflex- oder zwanghaft sind - namhaft gemacht werden, stellen in aller Regel weder hinreichende noch notwendige Kausalbedingungen dar. Daß eine Person - um ein Beispiel aus dem Brutalvokabular der Gerichtspsychiater zu nehmen - ein willensschwacher, genußsüchtiger, gefühlsroher Psychopath ist, "erklärt" den Raubmord, den die Person beging, nur insofern, als die Kennzeichnung ihres Charakters durch den Gutachter sie schon zum abscheulichen Wesen stempelt, dem man alles zutraut. Ansonsten werden die allermeisten Menschen, die den gleichen Charakter haben, unter den gleichen Handlungsumständen keinen Raubmord begehen. Auch wird man zugeben müssen, daß vergleichbare Raubmorde - doch was heißt hier schon: vergleichbar? - seit jeher von Menschen mit sehr unterschiedlicher Persönlichkeit begangen werden. Diese Überlegung beweist allerdings nichts für denjenigen, der an die prinzipielle Möglichkeit glaubt, das Wesen der Menschen dingfest machen und ihre Verhaltensweisen daraus ableiten zu können. Stets nämlich läßt sich sagen, der fragmentarische Charakter humanwissenschaftlicher Erklärungen resultiere aus dem fragmentarischen Charakter unseres Wissens über Handelnde und die Umstände ihres Handelns. Wir selber mögen sehr deutlich spüren, daß der Begreifbarkeit dessen, was wir tun und lassen, prinzipielle Grenzen gesetzt sind - daß wir durch alle Determination hindurch auch frei sind und insofern unbegreifbar -; indes, der Humanwissenschaftler, der uns als Dinge-mit-Subjektivität betrachtet, wird hier von einer "subjektiven Illusion" oder Ähnlichem sprechen.

In einem zugleich trivialen und doch schwer analysierbaren Sinne allerdings lassen sich für Handlungen stets eine unübersehbare Anzahl von Ursachen verschiedenster Art nennen. Personen sind höchstkomplexe Akteure, und natürlich hat die biologische Ausstattung auf das Zustandekommen von Verhaltensweisen ebenso Einfluß wie psychische und soziale Randbedingungen. Alle Mehrfaktorenuntersuchungen zeigen jedoch, daß die möglichst umfassende Auflistung von "Einflüssen" nicht dazu führt, den fragmentarischen Charakter humanwissenschaftlicher Erklärungen zu beseitigen. Dies ist der Angelpunkt für eine Verschärfung der Verdinglichungsproblematik. Denn nicht nur, daß Menschen wie Dinge behandelt werden (wenn auch wie Dinge-mit-Subjektivität); die Art und Weise, wie man ihre Handlungen begreifbar zu machen sucht, d.h. welche Ursachen man für wesentlich hält und welche nicht, hängt häufig davon ab, wie man auf den fraglichen Handlungstypus zu reagieren wünscht.

Der Wunsch zu reagieren, ist bei abweichenden, als böse, wahnsinnig oder verbrecherisch erlebten Handlungen naturgemäß besonders groß. Und hier zeigt die Geschichte einzelner humanwissenschaftlicher Disziplinen - wie der Psychiatrie oder der Kriminologie -, daß das Begreifen des Anderen zumeist am Gängelband vorgelagerter sozialpolitischer Interessen stattfindet. Will man z.B. einen Personenkreis bestrafen, wird das Verhalten seiner Mitglieder in Begriffe gefaßt, die einen Schuldvorwurf nachgerade erzwingen. Will man aber denselben Personenkreis psychiatrisch zwangsbehandeln, dann richtig sich das Augenmerk des Wissenschaftlers exklusiv auf solche "Ursachen", die das Handlungsgeschehen als unfrei oder naturwüchsig erscheinen lassen. Selbstverständlich gibt es auch Komplementär-Etikettierungen. Diese richten sich dann implizit gegen die herrschende Politik der Justiz oder der Psychiatrie. Man betont etwa jene Handlungsantriebe - und vernachlässigt alle anderen -, die das abweichende Verhalten als ein Resultat individuellen politischen Protests oder gar revolutionärer Gesinnung erscheinen lassen; es kann auch sein, daß man versucht, die geistige Erkrankung einer Person als Genesungsprozeß innerhalb einer insgesamt wahnsinnigen Umgebung hinzustellen. In allen diesen Fällen wird den Erkenntnisobjekten - den Menschen, die sich nicht normal verhalten - begrifflich Gewalt angetan, einesteils, um ihnen reinen Gewissens physisch Gewalt antun zu können, andernteils, um sie als Instrumente der Kritik am etablierten Gewaltmechanismus politisch verwendbar zu machen. Zweifellos gibt es mehr oder weniger gewalttätige Arten, andere Personen, aber auch sich selber zu begreifen. Doch gibt es eine gewaltlose Art, dies zu tun? Die Frage mutet seltsam, vielleicht sogar abwegig an. Dennoch legt sich im Rahmen einer Ökonomie der Gewalt des Begreifens eine Antwort nahe, und zwar eine verneinende. Die gewaltlose Art, den Menschen zu begreifen, wird praktiziert, solange man ihn unbegriffen läßt. Die gewaltloseste Art, einander tatsächlich zu begreifen, bestände aber wohl darin, sich bloß noch um des Verstehens willen verstehen zu wollen. Das sagt sich leichter, als daß man weiß, was es bedeutet. Denn selbst wenn wir glauben, nichts mehr als erkennen zu wollen, steht unser Blick im Bann von Wahrnehmungsperspektiven, deren Einnahme ein Ergebnis in Fleisch und Blut übergegangener Reaktionsmuster auf Situationstypen der Lebensbewältigung ist. Demgegenüber kennzeichnet der reine Erkenntniswille eine Grenze des Lebenskampfes. Angenommen, die Neugierde und Anteilnahme am Leben des Anderen hat sich aus allen pragmatischen Kontexten gelöst und das Resultat ist unschuldigste Wissenslust... Doch wo sollte man nun anfangen mit dem Begreifen, nun, da man nicht mehr handeln, bloß noch erkennen will? Vielleicht ist es so: die Neugierde würde rasch wieder erlöschen und man würde nicht mehr danach streben, anzufangen; an die Stelle eines reinen Erkenntnisinteresses würde Interesselosigkeit am Begreifen überhaupt treten. Möglicherweise ergibt dieses Szenario ein Friedensbild; möglicherweise aber ergibt es in Wahrheit ein Bild der Lebensverödung. "Möglicherweise" sage ich, denn ich kann es nicht entscheiden.

*

Tief in eine Kultur eingesenkte Begriffe verführen dazu, sie traumwandlerisch zu verwenden. Der Begriff der Gewalt gehört hierher. Er hat ein Anwendungszentrum: die handfeste körperliche oder technische Gewalt. Doch von da aus führen über Symbole, Metaphern, Analogien viele Bedeutungsstränge in abgelegene Bereiche - bis hin zu jenem Bereich, wo Verbegrifflichung als Verdinglichung und somit als Gewalt erscheint. Man kann um der Klarheit willen und auch aus politischen Gründen eine solche "inflationäre" Verwendung des Gewaltbegriffes ablehnen. Ist sie nicht dazu geeignet, von den eigentlichen Gewalten abzulenken? Und hat sie nicht zur Folge, daß zum Schluß gerade jenes Instrument, das uns Gewalt erkennen und kritisieren läßt - die VERNUNFT -, selbst als gewalttätig angeschwärzt wird? Naja. Sicher scheint mir jedenfalls zu sein, daß die Begriffs-Traumwandelei einer kulturellen Logik gehorcht. Sie spiegelt Empfindlichkeiten, Ängste und Hoffnungen wider, die man durch sprachpolizeiliche Maßnahmen nicht einfach aus der Welt schafft. Dies mögen jene Leser bedenken, die nach Kenntnisnahme des Voranstehenden den Eindruck gewonnen haben, mit sinnlosem Geschwätz befaßt worden zu sein.

Peter Strasser, beamteter Philosoph in Graz, Autor des Buches "Verbrechermenschen" (Frankfurt 1984); zeichnet für die Zeitschrift "Sterz" Comics.

Erika Stöppler

Die Denunziation von Literatur als Krankheit

Bei dem von mir selbst vorgeschlagenen Thema bin ich nicht mehr frei von Betroffenheit.

KRANKE GESELLSCHAFT - DER PATHOLOGISCHE BODEN DER KUNST

Die Germanistik z.B.: Auf dem Weltkongress der Germanisten in Göttingen dieses Jahr wurde pressewirksam: von knapp 350 Referaten hatten sich 15 der Anwendung psychoanalytischer Theorien gewidmet. Das spannende Problem war, ob der Minnesang einer Neurose entsprungen sei, bzw. wie kam es zur Dichtung einer Liebeslyrik, wo sie in Wirklichkeit gar nicht durften. In einem angesehenen bürgerlichen Blatt las sich das so: "Wenn man Freuds Modell für die Individualpsyche auf die mittelalterliche Adelsgesellschaft anwende, zeige sich dabei, daß die Texte des Minnesanges das Resultat aus einem Konflikt zwischen dem "Über-Ich", dem Gewissen, das durch die Moralvorschriften der Kirche gespeist wurde, und dem "Es", den natürlichen menschlichen Bedürfnissen seien. "Man tut das eine, ohne das andere zu verletzen", beschreibt Professor Müller das Phänomen. ... Rein rechnerisch, so erklärte Professor Müller, hätte der christliche Moralkodex einem verheirateten Ehepaar die Enthaltsamkeit abverlangt. ... Noch heute ... litten viele Menschen unter den gleichen Gewissenskonflikten und Schuldgefühlen bei Begegnungen mit dem anderen Geschlecht, wie sie die Menschen im Mittelalter gehabt haben mögen. "Die 'Hohe Minne'", so fand der Salzburger Mediävist Professor Ulrich Müller heraus, "sei Ausdruck einer Neurose der kleinen Adelsschicht gewesen." (Tagesspiegel 1.9.85) Nun, diese Art von psychoanalytischer Literaturwissenschaft ist noch relativ harmlos, obgleich den Verallgemeinerungen Tür und Tor geöffnet sind.

EIN FALL VON MANGELNDER SOLIDARITÄT

Ohne das psychoanalytische Instrumentarium hörte sich eine derartige Erörterung vor 160 Jahren ungefähr so an. Eckermann zeichnet Goethe im Gespräch mit seinem Arzt auf. "Das Gespräch kam nun auf die Dichterinnen im allgemeinen, und der Hofrat Rehbein bemerkte, daß das poetische Talent der Frauenzimmer ihm oft als eine Art von geistigem Geschlechtstrieb vorkomme. "Da hören Sie nur", sagte Goethe lachend, indem er mich ansah, "geistigen

Geschlechtstrieb! - Wie der Arzt sich das zurechtlegt!" - "Ich weiß nicht, ob ich mich recht ausdrücke", fuhr dieser fort, "aber es ist so etwas. Gewöhnlich haben diese Wesen das Glück der Liebe nicht genossen, und sie suchen nun in geistigen Richtungen Ersatz. Wären sie zu rechter Zeit verheiratet und hätten sie Kinder geboren, sie würden an poetische Produktionen nicht gedacht haben." Was die Dichterinnen betraf, so soll Goethe widersprochen haben, nicht zu heftig natürlich. Man mag darüber nachsinnen, warum Goethe auf den ärztlichen Blick betroffen reagierte. Wie sehr er selbst dem ärztlichen Blick und Diktum verhaftet war und seinen Gefühlen deutlichen Ausdruck verlieh, sei an einer anderen Aussage gegenüber Eckermann erwähnt. Goethes Diktum über das Gesunde und das Kranke sollte literaturgeschichtlich nicht folgenlos bleiben. Die Disqualifizierung einer bestimmten Literatur als krank steht auch in einem politischen Kontext. 1829 bezieht sich die von Eckermann überlieferte Aussage auf die französische Literatur der Romantik, die revolutionär beeinflußt war. Goethe war so harsch, daß er über Bérangers Gefangenschaft sagte: "Es geschieht ihm ganz recht... Seine letzten Gedichte sind wirklich ohne Zucht und Ordnung, und er hat gegen König, Staat und friedlichen Bürgersinn seine Strafe vollkommen verwirkt. Seine früheren Gedichte dagegen sind heiter und harmlos und ganz geeignet, einen Zirkel froher, glücklicher Menschen zu machen, welches denn wohl das Beste ist, was man von Liedern sagen kann." Der Wahrheitsgehalt von Eckermanns Wiedergabe dürfte nicht sonderlich entfernt liegen, wenn man an Goethes Haltung in Fichtes Atheismus-Streit denkt. Hier sprach wohl immer noch der Minister.

Und es dürfte auch der Minister gewesen sein, der an eben diesem 2.April 1829 eine ganz einfache Formel gefunden hatte, wie er ein ihm schon länger leidiges Problem behandeln könne.

"Mir ist ein neuer Ausdruck eingefallen", sagte Goethe, "der das Verhältnis nicht übel bezeichnet. Das Klassische nenne ich das Gesunde und das Romantische das Kranke. Und da sind die Nibelungen klassisch wie Homer, denn beide sind gesund und tüchtig. Das meiste Neuere ist nicht romantisch, weil es neu, sondern weil es schwach, kränklich und krank ist, und das Alte ist nicht klassisch, weil es alt, sondern weil es stark, frisch, froh und gesund ist. Wenn wir nach solchen Qualitäten Klassisches und Romantisches unterscheiden, so werden wir bald im reinen sein."

Man mag es als eine Art geschichtlicher Ironie nehmen, daß Goethe selbst nun exponiertes Objekt für medizinische, psychologische und analytische Arbeiten wurde, insbesondere nun an dem offenbar unerschöpflichen Interesse an der bewegenden Frage, hat er nun die geschlechtliche Liebe gepflegt und

mit wem oder... . Warum lachte er über seinen Arzt, als sie über die Dichterinnen im allgemeinen sprachen? Was immer zu antworten, es wäre nur die halbe Wahrheit oder auch das noch nicht einmal.
Goethes durch Eckermann überliefertes Verdikt über das Romantische als das Kranke hatte in der Rezeption eine überproportionale Gewichtung erfahren. Die Realismusdebatten zehrten von Goethes vermeintlich klarer Stellungnahme - um ebenfalls im reinen zu sein. Dies über Lukacs hinaus. Dabei geht es um nichts weniger, als um das Realitätsprinzip. Daß das Realitätsprinzip abhängig von den realen Machtverhältnissen und den diesen zugehörigen Ordnungen und Institutionen ist, braucht wohl nicht sonderlich betont zu werden. Der Autor des Werther wie auch sein Kollege, der Autor der Räuber, der später noch den Geisterseher verfaßt hatte, waren nicht unerfahren gewesen mit der Riskanz ihrer schöpferischen Kräfte, in ihrer Auseinandersetzung mit der Realität.

GEFÜHL UND AUFFÄLLIGKEIT

Der riskante Ort der Literatur, insbesonders und vor allem seit dem 18.Jht. diskussionswürdig wie auch literaturfähig, ist das Gefühl und der Apparat der Wahrnehmungen. Bei aller Einsichtsfähigkeit eines Menschen ist der erste und letzte Ort für Zustimmung oder Widerspruch das Gefühl, kommunizierend über Wahrnehmung und Ausdruck.
Das entscheidende Kriterium bei einer medizinisch versorgten Gesellschaft ist das der Auffälligkeit. Eine Zustimmung, die sich dem Kriterium des Auffälligen nähert, wird als unangenehm empfunden, da sie zu dem Zugestimmten sich in eine Konkurrenz setzt, die einen Makel signalisieren könnte. Die Zustimmung ist in der Regel unauffällig, nämlich angepaßt.
Künstlerische Produkte hatten schon immer die Eigenschaft aufzufallen. Ein Kunstwerk ist um so auffälliger, je mehr es sich durch eine eigene Individualität von der Umgebung, in der es sich befindet, abhebt. In einer Umgebung von Serien- oder Massenproduktion, wo die Gegenstände keine Aura des individuell Schöpferischen oder Verfertigten mehr ausstrahlen können, ist das Produkt aus der Hand eines Menschen auffällig und auch ein Widerspruch zu seiner Umgebung von seiner Entstehung her. Der Widerspruch braucht nicht mehr formuliert zu werden, da er in der Sache selbst zum Signal geworden ist. Die Aura des Künstlers wie auch die des heutigen Handwerkers erzählt von der Lebendigkeit des Einzelnen wie auch des Vereinzelten.
Mit zunehmender Normierung einer industriellen Gesellschaft, die schon die

Perspektive oder Perspektivlosigkeit des Postindustriellen im Blick hat, wird die Bandbreite von tolerierter Auffälligkeit und klinischer Auffälligkeit, letztere bedeutet für das Subjekt Internierung, immer enger.
Es ist keineswegs so, daß es in einer normierten Gesellschaft kein Bedürfnis nach Auffälligkeit gäbe. Die gesamte Kulturwarenindustrie lebt davon, wobei die Differenz zwischen bloßer Auffälligkeit und Individualität ständig Gefahr läuft, ein Opfer der Impulse zu werden, d.h. das Individuelle verliert im bloß Auffälligen seine Chance, sich geltend zu machen, nämlich unter Verlust seiner Geschichte. Der Gefräßigkeit der Impulse verwandt ist das Mythische. Auch im Mythos oder der Mythenbildung verliert das Individuelle in einem irgendwie aufhebenden Allgemeinen seine konkrete Substanz und wird unter ein mehr oder weniger vereinnehmend Geschichtliches subsumiert.
Die Vereinnehmung des konkret Individuellen geschieht über zwei Wege, über den Staat und seine mehr oder weniger straff organisierten Institutionen und über die Organisationsformen der Kulturwarenindustrie. Das im alltäglichen Leben Disfunktionale bzw. Auffällige wird zur Räson gebracht auf dem Wege der Kriminalisierung - z.B. das juristische Ahnden des Bemalens oder Besprayens von Wänden - Beschädigung von fremdem Eigentum - und durch Psychiatrisierung - z.B. beim Besprühen der eigenen vier Wände, wenn es den übrigen Familienmitgliedern nicht paßt, die Beschädigung von eigenem Eigentum den Verdacht der Selbstzerstörung birgt.
Das Thema "Disqualifizierung oder Denunziation von Literatur als Krankheit" habe ich nicht nur genommen, weil ich hier vor Autoren spreche, oder weil ich ein literaturwissenschaftliches Studium absolviert und danach die Fronten gewechselt hatte, sondern auch, weil es immer noch als pars pro toto für die Kunst - zumindest was die Seite ihres Signalcharakters betrifft - , ästhetisch wie physiologisch betrachtet, gelten kann. Dank der deutschen faschistischen Barbarei gegen die Abstrakte Kunst, gegen die moderne Malerei, ist die bildende Kunst vor derartigen Angriffen heute weitgehend verschont, derart, daß der bildnerische Ausdruck eines der wenigen Residuen in unserer Kulturlandschaft ist, wo das schöpferische Individuum zu seiner Ganzheit finden und sich selbst genießen mag, sich sogar seiner schlimmsten Erfahrungen entledigen kann. Es nützt ihm unter Umständen freilich wenig, wenn es nach einem Ausbruch in die gesellschaftliche Disfunktionalität voll psychiatrisiert worden ist. Die Anstellung von "Geisteskranken" - unter Navratil 1984 in Berlin - hinterließ denn doch den makabren Eindruck, daß der schöpferische Mensch sich nicht frei bewegen darf: ein Gefangener der Kunst ist ein unfreier Mensch. Die Literatur selbst führt zum Problem der Auffälligkeit zurück. Es ist die

Sprache, das Wort, nicht Gestus, oder Verhalten, was im medizinischen Sinne diagnostizierbar gehandhabt wird. Im 17. und besonders im 18.Jht. war es das Kriterium der "delierenden Rede" - delierend, weil als Geisteskrankheit der Begriff des Deliers nötig war, um der Freiheit zu berauben. Das Kriterium gilt noch heute. Statt Delier heißt es in der Regel Psychose oder psychoseähnlich. Für die Psychiatrie ist noch immer die Sprache die erste und letzte Struktur des Wahnsinns, sei es für die klassische Psychiatrie (17./18.Jht.), wie es Michel Foucault in seinem Buch "Wahnsinn und Gesellschaft" nachwies, sei es nach heutigen Kriterien. So wurde jüngst erst wieder Hölderlin zum bevorzugten Objekt unter Benutzung der neuen Hölderlin-Ausgabe. Das gesamte sprachliche Gebiet, das man gerne humorig als Freud'sche Fehlleistungen bezeichnet, die Anagramme, Wortverschmelzungen, Versprecher, Wortschöpfungen, die romantischen Synästhesien, der unbewußte Gebrauch rhethorischer Formen paradoxen Inhalts, das Oxymeron, und überhaupt die Metapher sind allesamt psychiatrisch auffällige Signale.
Schlimmer noch sind die Parallelismen, Wiederholungen in der poetischen Rede. Die Diagnose eines Germanisten, der sich das psychiatrische Sezierbesteck auslieh und sich an die Frankfurter Hölderlin-Ausgabe setzte mit den Reprints der Streichungen, korrigierter und nicht-korrigierter Gedichte, die den assoziativen Lauf der Sprache Hölderlins offenlegten, ist nur grundsätzlich und im Angriff gegen die Psychiatrie überhaupt anzugehen.
Die Wissenschaftlichkeit der psychiatrischen Methode besteht darin, daß sie ihr Ergebnis schon von Anfang an kennt und es nur noch mit ihrem Instrumentarium "zweifelsfrei und ohne Widerspruch" abzuwickeln braucht. Das Verfahren ist streng linear - es ist ein Stock mit zwei Enden, die sich völlig gleich sind.
Justiziabel ist natürlich nicht das gesprochene Wort seinem Inhalt nach. Wenn ich die Polizisten als grüne Männchen bezeichne, die zur Einweisung einen roten Zettel hatten, so ist daran nichts Beleidigendes gegen die Polizisten gesagt. Die Bezeichnung von Polizisten als grüne Männchen mit ihrem roten Zettel bedeutet eine Verletzung des Realitätsprinzips, eine Unfähigkeit, die Realität wahrheitsgemäß wahrzunehmen. Die Sprache ist das Indiz für eine Psychose oder einen psychoseähnlichen Geisteszustand. Bei der Bezeichnung "Bullen" käme ein Indiz von erhöhter Aggressivität gegen Amtspersonen hinzu.
Der Gebrauch eines pars pro toto, z.B. einen Mann mit einem Schnauzbart einen "Schnauzbart" zu nennen, den Arzt einen "weißen Kittel" oder "Weißkittel" zu nennen und überhaupt, was im Alltag gerne und mit Lust an sprachlicher Überformung, Betonung und Zuspitzung möglich ist und durchaus ver-

standen wird, wird im psychiatrischen Zusammenhang unverständlich per se. "Die Milch kocht über", das ist ein Satz, der nur dann Anwendung zu finden hat, wenn tatsächlich auf einem Herd ein Topf Milch zum Kochen steht und die Milch gleich überkocht. Der Widerstand, der sich an diesem Ort ins Gedicht, in die metaphorische Sprache flüchtet, weil im Alltag schon alle anderen Ressorts zum Widerstand dem Individuum versperrt waren, ist gleich einer Mausefalle, oder das Beweisstück für einen zerrütteten Zustand. Die Psychiatrie hat im übrigen schon immer die Ursache, sei es ein Schock, eine Vergewaltigung, einen Unfall oder eine Kriegs- und Gefängniserfahrung als Ursache für die von ihr diagnostizierte Geisteskrankheit akzeptiert, und zwar gewissermaßen dankbar, da die Ursache wiederum ihre Diagnose unterstützt. Gleichwohl, selbst wenn über andere Wege bei einer psychiatrischen Behandlung ein Verbrechen zum Vorschein käme, wäre die Klippe "endogen" noch nicht umschifft. Der Grad zwischen endogen und künstlerischer Begabung ist entschieden schmal und wird um so schmaler, je mehr sich die klassische Psychiatrie der Psychoanalyse und der Psychologie annähert.

Auf dem weiten Feld der tiefenpsychologisch orientierten Psychologie sind der Produktion der Kunst wie auch tatsächlich gegenüber dem in Bedrängnis geratenen Individuum eigentlich nur die den Strukturalisten Zugeneigten brauchbar, die tatsächlich auch die Individualgeschichte in einem Menschen und in seinem Produkt akzeptieren und annehmen. Überall dort, wo der individualgeschichtliche Teil wegfällt, die Individualmythe nicht als eine in ihrem Wahrheitsgehalt dem produzierenden Individuum angemessene wahrgenommen wird, sind sowohl die Heilungsaussichten, um bei diesem unheilvollen Ausdruck, der den Begriff der Krankheit voraussetzt, zu bleiben, riskant. Es wird nämlich nicht geheilt, sondern verändert bzw. angepaßt.

Das Individuum, dessen restlicher Widerstand gegen seine Unterdrückung sich in der Schöpfung einer Individualmythe noch gehalten hatte, kraft seiner schöpferischen Kräfte, wird, statt der Befähigung und im Erhalt seiner schöpferischen Kräfte, die es aus der Sprache zog, nicht derart gestärkt, daß es unter Beibehalt seiner Eigenheiten im realen Leben bestehen kann, sondern es wird um sein in einer kritischen Situation notwendiges Residuum gebracht und der bestehenden Realität angepaßt. Das Verfahren der klassischen Psychiatrie ist das der Verdrängung. Die Ruhigstellung des Patienten meint die Ruhigstellung seines Widerstandes, welcher Art das Unrecht auch gewesen sein mag. Hat der Patient es nicht verkraftet, die Psychiatrie ist der Beweis dafür, daß er es nicht verkraftet hat, muß er das Problem liegenlassen und sich der Realität beugen. Anästhesie heißt das medizinische Zauberwort und nicht etwa ...

"Ästhetik des Widerstandes".
Die klassische Psychoanalyse führt zur Verdrängung aktuellen Unrechts auf andere Weise, nämlich in die typologisch vorstrukturierte Vergangenheit des Individuums, in die Kindheit. Die Individualgeschichte, die sich in der Individualmythe des Autors manifestiert hatte, bleibt dabei oft auf der Strecke. Ferner, da die Voraussetzung für Kunst der neurotische Konflikt, die Neurasthenie sein soll, ist das Bedürfnis nach schöpferischer Tätigkeit ein Indiz für das kranke Individuum, nicht für das gesunde, und auf lange Sicht wird die schöpferische Tätigkeit nicht ohne Beeinträchtigung bleiben. Das Problem - bei Ausweitung des wissenschaftlichen Bereiches der Produktionsästhetik u.a. - wird sein, daß sich der schöpferisch tätige Mensch um seine Diagnostiker, die die Gesellschaft in petto für ihn hat, ebenso kümmern muß wie um die Politik. Wer den Blick davon abwendet, wird nicht weniger davon betroffen sein - wie die Jugendlichen, die über die Phasen der Arbeitslosigkeit und mangelnden Ausbildung in den Armen sozialpsychiatrischer Dienste landen. Ebenso wird anzuraten sein, wie zu dem Zeitpunkt, da das Problem erstmalig sichtbar wurde, sich selbst um die Ästhetik, insbesondere die Produktionsästhetik zu kümmern. Die Risiken der schöpferischen Produktion liegen in der Gesellschaft, in der wir leben, das Risiko selbst aber haben wir zu tragen. Die eigene schöpferische Individualität lebt aus dem riskanten Betreten der Negativität zur Realität. Der kritischste Punkt ist der des schöpferischen Prozesses selbst, da, wo z.B. der Autor oder die Autorin mit der Individualität einer seiner oder ihrer Romanfiguren befaßt ist, und eben da er oder sie jene erschafft, seine oder ihre eigene aufgeben muß. Psychisch handelt es sich dann um eine "Identitätsdiffusion" (sehr krank!). B. Meilach erwähnt z.B. Flaubert in seinem Aufsatz "Die Psychologie des künstlerischen Schaffens", die Bekenntnisse Flauberts, der der Ohnmacht nahe war und vor Entsetzen schrie, als er bei der Arbeit an dem Roman "Madame Bovary" die dramatischen Episoden des Lebens der Heldin schilderte. Es bedarf wenig Phantasie, was für ein langweiliges Produkt - wenn überhaupt eines - da herausgekommen wäre, hätte ihm ein ärztlicher Beistand zur Seite gestanden. Bei einem Analytiker hätte er vielleicht hinterher gewußt, warum er einen solchen Roman unbedingt schreiben muß. Vielleicht, vielleicht auch nicht, jedenfalls wäre er gestört worden.
Der Lohn des schöpferischen Abenteuers ist sein Produkt. Zum Schluß noch einmal Meilach, dem ich wünschte, daß er sich auch um andere literarische Richtungen und nicht nur um die der realistischen Schreibweise verpflichteten, kümmerte:
"Das Wort ist für den Menschen, mit dem Terminus der modernen Physiologie

ausgedrückt, 'Das Signal der Signale'. Dieses 'Signal der Signale' belebt die Vorstellung so sehr, dient als so aktiver Reizerreger, daß es in bezug auf die Intensität der hervorgerufenen Erlebnisse fast gleichbedeutend mit der unmittelbaren Wahrnehmung des Dargestellten sein kann. Das ist die Erklärung für die ungewöhnlich starken Reaktionen des Schriftstellers selbst während des Schaffensprozesses und - danach - des Lesers." (Seminar: Theorien der künstlerischen Produktivität. Hrsg. Mechthild Curtius - Suhrkamp - Frankfurt/M. 1976).

Hier liegen die Risiken all derjenigen, die schöpferisch mit der Sprache umgehen, aber auch ihre besten Möglichkeiten, die ständig in Verlust zu geratende Identität und Individualität aufzubauen und für sich selbst und für andere zu sichern - kommunizierbar zu bleiben.

Erika Stöppler, Westberliner Autorin und Malerin. Mitarbeit bei der „Mariannen-Presse" und „Tageszeitung", Berlin.

Lina Hofstädter

Liedtext

1 kleiner Polipoliziste
zum Schutz der Braven
und Paragraphen
marschiert täglich durch die Stadt
bis er den Bösen gefangen hat.

2 kleine Polipolizisten
zum Schutz von Ministern
und Kaisers Schwestern
reiten stolz einher
mit geschultertem Gewehr.

3 kleine Polipolizisten
schützen Villenbesitzer
und RollsRoyce-Benützer
schießen in Außenbezirken
um abschreckend zu wirken.

4 kleine Polipolizisten
schützen die Banken
rechtschaffene Gedanken
lauern an jeder Ecke
damit sich kein Bösewicht dort verstecke
damit sich keiner mehr verstecke.

5 kleine Polipolizisten
schützen die Universität
Rektor und das Kleingerät
mit Stahlhelm und Schild
- ein heroisches Bild!

6 kleine Polipolizisten
schießen auf alle Rotarmisten
mit Panzern gegen die Trotzkisten
können sie jetzt alle kriegen
wird das Rechte immer siegen
- wird die Rechte immer siegen.

7 kleine Polipolizisten
sehen nur noch Terroristen
führen lange Personenlisten
und als Vorbeugungsmaßnahmen
gibt's Geratewohl-Gefangennahmen.

8 kleine Polipolizisten
schützen die Energiewirtschaft
Rüstung und Atomkraft
schlagen Leute ins Gesicht
so bewahrn sie uns - das Licht!

9 kleine Polipolizisten
fangen Massenredner, Bücherschreiber,
Telefonierer und Ideenbetreiber,
mit Paragraphen in der Hand
zerschlagen sie jeden Widerstand!

10 kleine Polipolizisten
schützen den Rechtsstaat vor Bürgerrechten
und somit den Bürger vor Massengefechten
marschiern im Stechschritt durch die Stadt
bis keiner mehr böse Gedanken hat -

Und wenn's dann nicht mehr länger gefährlich ist
weil dem Volk nun alles unerklärlich ist
sagt uns das Miniministerium
die Zeit der Unsicherheit sei um:
der Bürger ausgerottet
sei vorüber die Gefahr
dank Polizeiapparat
sei die Einheit gewahrt!

Oh happy happy Germany!

Lina Hofstädter, geboren in Vorarlberg; AHS-Lehrerin, Liedermacherin, Autorin.

is
ZUM
kotzen.

Wolfgang Stangl

Über die sprachliche und szenische Hegemonie von Strafrecht und Psychiatrie

Es ist oft gesagt worden, daß Strafrecht und Psychiatrie die beiden großen gesellschaftlichen Systeme bilden, die abweichendes Verhalten kontrollieren. Damit ist gemeint, daß Richter und Ärzte über Verbrechen und Wahnsinn Macht haben, daß sie in der Lage sind, das Auftreten und die Ausbreitung von Wahnsinn und Verbrechen verhindern, lenken oder überhaupt zum Verschwinden bringen zu können. Aus unterschiedlichen Motiven sind sich Befürworter wie auch Kritiker der Kontrolle über diesen Punkt in seltsamer Weise einig. Die einen aus Gründen schlichter machtvoller Praxis: Der Hinweis etwa, daß in Österreich jährlich rund 12000 Menschen eine gerichtliche Freiheitsstrafe antreten, scheint keiner weiteren Erklärung zu bedürfen, warum das Strafrechtssystem als machtvoll bezeichnet werden kann. Und auch die Kritiker sind beeindruckt von dieser Zahl, ja müssen beeindrückt sein, ist sie doch gleichsam die Basis ihres Widerspruchs. Bedeutet doch die Zahl 12000 ebenso viele Repressionen, Inhumanitäten, oder Verelendungen. Ob man die Kritik an der Anzahl der Strafantritte - je nach politischer und/oder moralischer Position - als sinnlose oder hoch funktionale, die gesellschaftlichen Verhältnisse befestigende Gewaltmaßnahme sieht, so unterliegt sie doch jeweils der Faszination der großen Zahl. Wenn man noch in Rechnung stellt, daß von allen sogenannten westeuropäischen Staaten nur die Türkei und Nordirland über höhere Gefangenenraten als Österreich verfügen, so scheint damit schon der Kern der Kritik bloßgelegt zu sein - die Zahlen sprechen für sich. Um die Kritik zu vertiefen, kann man noch mit Zahlen oder Zeitreihen über die richterliche Untersuchungshaftpraxis, mit regionalen Haftzahlen, mit Daten über die Häufigkeit der Zwangseinweisungen in die psychiatrischen Spitäler etc. aufwarten, die - wieder im internationalen Vergleich - enorm sind und Österreich einen Spitzenplatz in den Analen europäischer Repression sichern.

Aus dem bisher Gesagten klingt bereits durch, daß ich diesem Befund nicht umstandslos zustimme. Selbstverständlich sind die Internierungszahlen ein grausiges Maß herrschender Repression. Aber was würde der Lebensrückblick eines pensionierten Strafrichters bedeuten, der sagt: "In meinen 40 Dienstjahren habe ich 2000 Jahre Freiheitsstrafe verhängt." Heißt dies, daß er durch seine Tätigkeit das Verbrechen kontrolliert hat, oder vielleicht nur Menschen? Hat er mehr getan, als Menschen einzusperren, hat er also abweichendes Verhalten durch seine Tätigkeit verhindert, oder bekämpft, wie es in der martialischen Sprache der Strafrichter heißt? Mit dieser Frage sind wir unversehens mitten in die Kriminologie und Rechtssoziologie geraten. Es sind damit die großen Fragen der Wirksamkeit von Rechtsnormen in verschiedener Hinsicht angesprochen. Ich möchte heute darauf nicht eingehen.

Stattdessen werde ich auf einen Effekt der Kontrollsysteme näher zu sprechen kommen, der sicherlich eintritt: nämlich die sprachliche und szenische Verfestigung abweichenden Verhaltens. Ich meine damit, daß Strafrecht wie auch Psychiatrie abweichendes Verhalten in einer ganz bestimmten Weise sprachlich und dramatisch rahmen und damit auch unsere Sicht von Devianz entweder überhaupt definieren oder bestärken. Abweichendes Verhalten ist nicht von sich aus außerhalb der Norm; es ist nicht von Natur aus gefährlich, heimtückisch, blöde, rasend usw. - sondern es wird zu dem gemacht. Hinter dem Begriff "machen" verbergen sich zumindest zwei Ebenen, die nicht verwischt werden dürfen: Zum einen wird in jedem gerichtlichen Urteil und in jeder psychiatrischen Diagnose eine Begrifflichkeit angewendet, die in historischen Prozessen entstanden ist. Ein Beispiel aus der Strafgerichtbarkeit: Wenn das Urteil lautet: "Franz E. ist schuldig, er hat dadurch, daß er mit Einlagen von Sparern spekuliert hat, das Verbrechen der Untreue begangen und er ist gemäß § ... StGB mit einer Freiheitsstrafe von .... zu bestrafen", so wird in diesem Urteil die im StGB bereitgestellte Begrifflichkeit und Kategorisierung angewendet, die in diesem Fall erst seit den 30er Jahren besteht. Erst nach dem Zusammenbruch der Bodenkreditanstalt wurde das Delikt der Untreue in das damals geltende Strafgesetz aufgenommen. Die seinerzeitigen Nachforschungen ergaben, daß einer der Bankdirektoren mit den Kundeneinlagen spekuliert und dabei riesige Verluste verursacht hatte. Die Einführung der Untreuebestimmung war einer der Versuche der damaligen Regierung, den innenpolitischen Skandal zu bewältigen.

Gewiß war das gleiche Verhalten auch schon vorher praktiziert worden; Generationen von Bankdirektoren haben auch schon früher mit fremdem Geld spekuliert und die Sparer geschädigt. Und es ist auch mit Sicherheit anzunehmen, daß die geprellten Sparer auch vor 1930 darüber empört waren und dieses Verhalten als räuberisch, unmoralisch, schädigend, oder einfach als "Schweinerei" bezeichnet haben. Durch die Aufnahme der Untreuebestimmung in das StGB

wurde allen diesen, sicherlich zutreffenden Prädikaten, ein entscheidendes hinzugefügt: "verbrecherisch" im technischen Sinn. Erst durch die strafrechtliche Normierung eines Verhaltens wird dieses zum Verbrechen und in diesem Sinn produziert das Strafrecht zwar nicht direkt Verhalten, aber es produziert verbrecherisches Verhalten. Es hebt durch seine Definition aus der Summe mehr oder weniger sozialschädlicher Verhaltensweisen bestimmte Typen hervor und zeichnet sie dadurch aus.
Freilich gibt es auch Beispiele, wonach auch nicht-sozialschädliches Verhalten strafrechtlich kontrolliert wird: Das Trinken von Alkohol wurde in der Vergangenheit in Finnland und in den USA verboten; der Konsum illegalisierter Drogen ist heute in Österreich unter Strafe gestellt - beides Beispiele dafür, daß sich das Strafrecht auch um allenfalls selbstschädigende Verhaltensweisen kümmert.
Die Anwendung von historisch bereitgestellten Kategorien durch die Kontrollinstanzen, und ich habe hier strafrechtliche Beispiele gewählt, ist die eine Seite des "Machens" von Kriminalität.

Es gibt aber noch eine andere, für den Alltag wahrscheinlich wichtigere Dimension. Kontrollinstanzen beschreiben und erfassen Verhaltensweisen in einer ganz bestimmten Sprache, der man sich auch im Alltag nur schwer und im Kontakt mit den Instanzen selbst überhaupt nicht entziehen kann. Wann immer Handlungen in Gesetzbüchern als verbotene, in medizinischen Lehrbüchern als krankhaft bezeichnet werden, wird man in vielfältiger Weise gezwungen, sich dieser Sicht zu unterwerfen. Der ungeduldige Zwischenruf des Richters: "Das gehört nicht hierher, kommen Sie zur Sache!", drückt diesen Sachverhalt präzise aus. Man kann vor Gericht nicht die Geschichte erzählen, wie man sie erlebt hat. Es geht um die Sache im juristischen Sinn.
Analoges gilt für die Psychiatrie, denn auch sie versieht Verhaltensweisen mit einer ganz bestimmten Begrifflichkeit und prägt damit unsere Wahrnehmungsmöglichkeit von menschlichen Äußerungen. Es macht einen gewaltigen Unterschied aus, ob man von der Traurigkeit oder Schwermut eines Menschen spricht, oder von seiner Depression. Der Begriff der Depression macht dem Leiden gegenüber hilflos, das damit bezeichnet wird. Dieses medizinische Wort verweist auf Kategorien klinischer Pathologie, es entfremdet. Ich meine, daß das Wort Traurigkeit oder Schwermut weit eher zur Frage führt: "Warum geht es Dir schlecht; was ist passiert?". Das Wort Depression hingegen läßt Distanz entstehen, weckt die Vorstellung von Krankheit und nicht die eines seelischen Vorgangs. "Wie lange hast Du diesen Zustand schon; hast Du das häufig; bist Du in Behandlung" - sind nach meiner Beobachtung typische Fragen.

Auch das Wort "Trunksucht" drückt etwas anderes aus als der Begriff "Alkoholismus". Trunk hat etwas mit Trinken zu tun, verweist damit auf einen leiblichen, das Individuum betreffenden Vorgang; Sucht hängt wiederum eng mit dem Zeitwort "siechen" zusammen. Trunksucht kann man somit als siechendes Trinken oder trinkendes Siechtum verstehen. Beim Wort Alkoholismus steht dagegen die Droge selbst im Mittelpunkt, die Tätigkeit des Trinkens und die Person des Trinkers sind verschwunden. Stellt man lediglich die beiden Worte nebeneinander, so könnte man glauben, die moderne Psychiatrie sei der Meinung, die Alkoholabhängigkeit sei nur durch den Alkohol selbst bewirkt. Freilich wäre diese Deutung naiver als die Psychiatrie ist, und doch scheint mir diese Begriffswahl nicht zufällig und es lohnt sich, nicht nur dem Volk aufs Maul zu schauen, sondern auch den Experten, zumal den medizinischen.

Viele Beispiele für eine noch nicht von der Medizin umgeformte Begrifflichkeit psychischer Zustände finden sich in den Romanen von Dostojewski. Den Mönch Therapont, der in den "Brüdern Karamasow" als großer Schweiger und großer Faster bezeichnet wird, nennt Dostojewski einen Gottesnarrn, der Jesus Christus in den Bäumen sieht und dem durch den Flug der Vögel seltsam religiöse Botschaften vermittelt werden. Das Wort Gottesnarr ist der Leidenschaft dieses Mannes für den Tod und die Askese viel näher als ein medizinischer Begriff, der sich angesichts der eigenartigen und ausgeprägten Symptomatik des Mannes leicht finden ließe. Vielleicht kann man sagen, daß das Wort Gottesnarr in erster Linie auf dessen seltsames Leben und Schicksal verweist und entsprechende Fragen und Erklärungen provoziert; würde man Therapont hingegen als anorektisch bezeichnen - er wird als schrecklich mager geschildert - oder vielleicht als psychotisch, so tritt dagegen die Krankheit und damit die Abweichung in den Vordergrund und nicht seine seherische Kraft.
In einer Szene wird Vater Therapont, wie er auch genannt wird, von einem Mönch aus einem anderen Kloster besucht, dem er folgende Geschichte erzählt:

"Zum Klostervorstand bin ich Pfingsten vergangenen Jahres gegangen, seitdem nicht mehr. Ich sah, bei dem einen sitzt er (der Teufel) auf der Brust, verbirgt sich unter der Kutte, nur die Hörner sind zu sehen, bei einem anderen schaut er aus der Tasche heraus, seine Augen bewegen sich unruhig; vor mir hat er Furcht; bei wieder einem anderen hat er sich im Bauch angesiedelt, in seinem allerunreinsten Teil, bei noch einem anderen hängt er am Hals, hat sich dort festgeklammert und so trägt ihn der mit sich herum und sieht ihn gar nicht! ... ich sehe es, ich schaue durch und durch, als ich aufstand, um vom Klostervorstand fortzugehen, sehe ich - einer hat sich vor mir hinter der Tür versteckt - so groß war er wie ein ausgewachsener Mann, anderthalb Meter hoch oder mehr, sein Schwanz ist dick, dunkelbraun, lang, ja, mit dem Ende seines Schwanzes war er in die Türspalte geraten; ich aber nicht dumm, schlage die Tür plötzlich zu, und so habe ich ihm auch den Schwanz eingeklemmt. Wie er winselt und sich losreißen will! Ich aber schlage das Kreuz über ihm, ja, dreimal - bekreuzte ich ihn. Dort ist er denn auch verreckt wie eine zerdrückte Spinne. Jetzt muß er wohl verwest sein in jener Ecke, er stinkt wohl, sie aber sehen es nicht und riechen es nicht. Ein Jahr schon gehe ich nicht mehr hin. Dir allein erzähle ich das alles, weil du ein Fremdling bist."

Dem fremden Mönch kommt das ganze Auftreten des Vater Therapont und die Geschichte über den Teufel, die er ihm präsentiert zwar befremdlich, aber möglich vor, weil Therapont als Heiliger gilt. Und dieser Status läßt Therapont auch zum Haupt jener Partei im Kloster werden, die in Opposition zum Mönch Sossima und seinen Anhängern steht. Der Konflikt zwischen den beiden Parteien dreht sich um die Bibelauslegung, die rechte Befolgung der Mönchsregel, aber auch um ganz weltliche Dinge wie Macht und Einfluß auf Klerus und Laien. Ich erzähle diese Geschichte, weil sie ein gutes Beispiel dafür ist, in welcher Weise die Wahl der Bezeichnung eines Phänomens, das Phänomen selbst faßt und mit einer eigenen Wirklichkeit ausstattet. Das bedeutet aber gleichzeitig, daß die Form der Bezeichnung, das Phänomen selbst kontrolliert. Hinter jedem Urteil und jeder Diagnose steht somit ein spezifischer Teil der Historie einer Gesellschaft, der mehr oder weniger verschlüsselt kundtut, was überhaupt als abweichend bezeichnet, wie darüber gesprochen wird, und wie damit umzugehen ist. Der springende Punkt dabei ist jedoch, daß die Deutungen der Kontrollinstanzen nicht auf die Gerichte oder Wartezimmer der Ärzte beschränkt sind, sondern daß sie in den Alltag hinaustreten. Damit bin ich bei dem Umstand angelangt, den man als sprachliche Hegemonie der Kontrollinstanzen bezeichnen kann. Ihre Kraft Herrschaft auszuüben besteht darin, über die Worte, mit denen man über Abweichung sprechen kann, zu herrschen. Und da Worte mehr sind als äußerliche Bezeichnungen von Dingen, die Dinge durch den Akt der Bezeichnung erst erfaß- und verstehbar werden, wird deutlich, was sprachliche Hegemonie durch Kontrollinstanzen eigentlich heißt.

Mit der sprachlichen hängt die szenische Hegemonie eng zusammen. Ich gehe hier nicht auf die Kunst der Boulevardpresse ein, über Verbrechen in der bekannten Weise zu berichten. Ich denke an die Dramaturgie des Strafprozesses

und des Strafvollzugs. Wenn ein Untersuchungsgefangener in Handschellen vorgeführt wird, die ihm erst im Gerichtssaal abgenommen werden, so wird damit Gefahr signalisiert. Wer in Ketten geht, wird zum Träger des gefährlich Abweichenden, wird in gewisser Weise zum Tier, das man binden muß.
Ganz anders ist die Szenerie in einem Zivilprozeß, bei dem jeder Beteiligte als freier Bürger geht und kommt - auch wenn der Streitwert in die Millionen geht.
Noch sichtbarer im Sinne der Dramaturgie ist das gesamte Strafvollzugswesen. Mauern, Türme, Wachtposten bedeuten Krieg, jedenfalls Ausgrenzung in seiner elementarsten Bedeutung.
So wie die Sprache, so stellen auch szenische und architektonische Rahmungen gesellschaftliche Ereignisse in bestimmte Kontexte und schaffen damit soziale Wirklichkeit.

Die Überlegungen zusammenfassend möchte ich behaupten, daß die Kontrollinstanzen, Psychiatrie/Medizin und Strafrecht nicht deswegen in ihrer Tätigkeit erfolgreich sind, weil sie real und physisch auf eine bestimmte Anzahl von Menschen zugreifen; man kann sie als erfolgreich deswegen bezeichnen, weil sie sprachlich und szenisch vorgeben, was Abweichung ist und wie ihr zu begegnen ist.

Um Mißverständnisse zu vermeiden möchte ich aber sogleich betonen, daß die sprachliche Hegemonie der Kontrollinstanzen nicht deren Schuld im moralischen Sinn ist. Jede Gesellschaft hat ihre kanonisierten Deutungsmuster, die Auskunft darüber geben, was "normal" und was "abweichend" ist und diese Deutungsmuster werden von den Trägern der jeweiligen Institutionen verwaltet. ob dies nun ein Sterndeuter, Schamane, Priester, Richter oder Psychiater ist, macht dem Grunde nach keinen Unterschied aus. Man wird somit im Verständnis des Zusammenhangs von Sprache und Abweichung nicht sehr weit kommen, wenn man im Sinne einer Verschwörungstheorie den Ausgangspunkt allen Übels in den Institutionen sucht, sind sie doch selber in einen komplexen gesellschaftlichen Prozeß eingebunden. ich möchte diesen wichtigen Punkt hier nur erwähnen, ohne ihn an dieser Stelle jedoch auszuführen.
Er hängt aber mit jenem Thema zusammen, das ich zum Schluß kurz anschneiden möchte: Das Thema bezieht sich auf die Alternativen der herrschenden Kontrolle. Überlegungen dazu müssen meiner Meinung nach davon ausgehen, daß beide Kontrollen einen integralen Bestandteil unserer Gesellschaft bilden, derer man sich nicht entledigen kann, wie eines alten Paar Schuhe. Beide Kontrollen haben, so wie viele andere auch, unsere Welt struktu-

riert, und darauf zielt auch der Begriff der Hegemonie. Man wird nicht wahnsinnig wie man will, sondern wie es die Gesellschaft vorschreibt, bzw. zuläßt, und so wie der Wahnsinn von der jeweils herrschenden Psychiatrie beschrieben wird. Daß die Nervenärzte bei der Diagnose oft irren, spielt hier im Moment keine Rolle. Man wird jedoch nicht nur in gesellschaftlich vorgeschriebener Weise verrückt, sondern auch kriminell; man wird also in der Weise kriminell, wie es - paradox formuliert - im Strafgesetzbuch definiert ist. Und alle Bestimmungen des Strafgesetzbuchs sind ihrerseits wiederum Resultat historischer Interessenskonflikte. Schließlich verbirgt sich hinter jedem Gesetz ein Konflikt - sonst würde man kein Gesetz, d.h. keine Regel, benötigen.
Man kann mit anderen Worten per Dekret die Kontrollen zwar abschaffen oder umtaufen - so man die Macht dazu hat - es ist aber nicht möglich, die hinter den Kontrollen existierenden gesellschaftlichen Konflikte ohne grundlegende soziale Veränderungen zu sistieren. Würde man etwa überhaupt keine Information über die österreichische Gesellschaft besitzen und lediglich die Zahl der Bestimmungen auszählen, die die einzelnen Rechtsgüter im Strafgesetzbuch schützen sollen, so würde man sehr rasch zur Vermutung kommen, daß offenbar das Eigentum ein höchst umstrittenes Rechtsgut ist, da es in diesem Bereich die bei weitem meisten Schutzbestimmungen gibt. Und der fremde Beobachter würde sehr richtig vermuten, sind doch über 90% der Verbrechen in Österreich Eigentumsdelikte, die ihrerseits wiederum Ausdruck einer - vereinfacht gesagt - sehr ungleichen Eigentumsstruktur in der Gesellschaft sind. Ich behaupte somit, daß gesellschaftliche Struktur, Kontrolle und Devianz zusammengehören.

Trotz dieser wechselseitigen Verklammerungen sind freilich Veränderungen der Kontrollen möglich. In bestimmten Fällen wird ihre gänzliche Aufhebung hier und jetzt zwar nicht praktikabel sein, weil, wie gesagt, hinter den Kontrollen wirkliche Konflikte stehen; was hingegen politisch zu fordern ist, sind alternative Formen der Kontrolle. Nur als Stichwort nenne ich hier die Ersetzung geschlossener psychiatrischer Anstalten durch offene, durch ambulante Versorgungssysteme, Heime, geschützte Werkstätten etc.; die Ersetzung der Freiheitsstrafe durch die Wiedergutmachung des Schadens, der Strafprozeßordnung durch ein Konfliktlösungsverfahren. Diese Veränderungen im Umgang mit Devianz, die einen gewaltigen Fortschritt darstellen würden und die gewöhnlich als Humanisierung und Demokratisierung von Kontrolle umschrieben werden, werden auch die Auseinandersetzung um eine andere Sprache nötig machen. Ich glaube nicht, daß die sprachliche Hegemonie der Kontrollinstanzen bisher gefährdet ist und ich habe im Gegenteil den Eindruck, daß die begriffliche Vermachtung besonders durch die Medizin, eher im Zunehmen und nicht im Abnehmen ist. Man müßte wahrscheinlich zur Zeit lange suchen, um einen Erwachsenen in Österreich zu finden, der nicht schon etwas von AIDS gehört hat.

Überzeugt bin ich allerdings davon, daß Bezeichnungen von und Umgangsformen mit Krankheit oder Verbrechen nicht von einer Kultur in eine andere verpflanzt werden können. Konkret meine ich, daß schamanistisches, buddhistisches oder irgendein Wissen, das in einer anderen Kultur verbindlich ist, nicht zur Konfliktlösung in spätkapitalistischen Gesellschaften taugt. Das heißt nicht, daß es nicht Einzelnen gelingen kann, durch die Vertiefung etwa in schamanistische Texte und durch das Erlernen entsprechender Riten, entweder ihre Probleme zu lösen, oder die Welt neu zu sehen. Gesamtgesellschaftlich gesehen kann dies nur ein randständiges Phänomen bleiben, denn jede Gesellschaft hat ihre eigenständige Verklammerung von gesellschaftlicher Struktur, Kontrolle und Abweichung.

Wolfgang Stangl, beschäftigt sich mit Kriminalpolitik und Strafrechtsreform. Bücher: "Die neue Gerechtigkeit" und "Grenzen der Behandlung" (zusammen mit Irmgard Eisenbach-Stangl).

Istvan Herczegfalvy

Folter und Entmündigung

Vorstellen, glaube ich, brauch ich mich da nicht, denn die meisten von euch werden mich kennen von Presse, Rundfunk, Fernsehen. Ich bin erkannt und ersucht worden, ein paar Worte zu sagen.
Vor mir die Referate, das war die Theorie. Was hier referiert worden ist, habe ich am eigenen Leib 13 Jahre lang in diversen österreichischen Justiz- und psychiatrischen Anstalten erlebt. Ganz kurz nur, wie das angefangen hat. Ich bin Ungar, politischer Flüchtling, 1964 nach Österreich gekommen. Ich bin Radio- und Fernsehtechniker, Elektroingenieur, und habe mich hier selbständig gemacht.
Ungefähr in den 70-er-Jahren hat es angefangen, daß die Polizei mich da aus dem Verkehr ziehen wollte, weil es mit meiner Firma gut gegangen ist. Da haben sie angefangen, in Nacht- und Nebelaktionen von meinen Firmenautos die Kennzeichentafeln herunterzureißen, weil das Reifenprofiltief angeblich nicht genügend war und solche Sachen. Immer mußte ich berufen, dagegen Einspruch erheben.
Als sie sahen, daß sie mich so nicht fangen können, drohten sie, ich soll aufpassen, ich soll mich ja nicht erwischen lassen, wenn sie mich erwischen, dann garantieren sie mir, daß ich unter fünf Jahren nicht rauskomme. Ich habe das nicht ernst genommen, weil ich mir sagte, Österreich ist ein demokratischer Staat und sowas kann man da nicht ernst nehmen. Wenn mir das in Ungarn passiert, das nehm ich ernst, da hab ich Angst. Kurze Zeit später bin ich verhaftet worden, unter dem Vorwand der gefährlichen Drohung und Widerstand gegen die Staatsgewalt. Als unbescholtener Kaufmann wurde ich gleich zu achteinhalb Jahren schweren Kerker verurteilt.
Bei der Verhandlung ist es zugegangen - sowas hab ich in meinem Leben noch nicht erlebt - ich bekam keine Akteneinsicht und keine Anklageschrift zugestellt. Ich wußte nicht, wessen ich bezichtigt werde. Bei der Verhandlung durfte ich keine Zeugen befragen.
Ich wollte mir diese Bezichtigungen, diese Lügen, nicht gefallen lassen. Als Zeugen marschierten Polizisten, Justizler und solche Leute da auf, denen befohlen worden war, was sie aussagten. Als ich mir das nicht gefallen lassen und sie befragen wollte (als Angeklagter hat jeder das Recht, die Belastungs-

zeugen zu befragen), hat mich der Richter sofort angeschrien: "Ein Wort, Angeklagter, und Sie sind abgeführt und die Verhandlung findet in Ihrer Abwesenheit statt." So wurde ich dann verurteilt. Dagegen habe ich mich natürlich gewehrt. Ich hab Richter, Staatsanwalt angezeigt, wegen Amtsmißbrauch, Urkundenfälschung, Urteilfälschung, usw.

Ich wurde nach Stein in eine Einzelzelle geführt. Vorher wurde ich x-mal mißhandelt. Ich habe Eingaben verfaßt und mich dagegen gewehrt. Zuerst wollten sie das im guten abstellen, also freundlich: ich solle die Eingaben einstellen, dann würde ich ein Drittel bekommen oder die Strafe würde halbiert. Ich lehnte das ab, denn ich hatte nichts begangen, also brauchte ich weder ein Drittel noch die Halbierung, sondern überhaupt keine Strafe.

Ich will rehabilitiert werden.

Daraufhin haben sie mir gedroht und mich mißhandelt. Am 24.Jänner wurde ich so schwer mißhandelt, daß ich nicht mehr gehen konnte. In diesem Zustand sollte ich nach Stein geführt werden. Vorher müssen die Anstaltsärzte untersuchen, ob man transportfähig ist oder nicht. Dorthin führten sie mich auf der Tragbahre.

Der Arzt schaute in meinen Mund, auf die Zähne und sagte, daß alles in Ordnung und ich transportfähig sei. In Stein bin ich ins Spital gekommen.

Ich ließ mir Gesetzbücher beschaffen und studierte Rechtswissenschaft und Jus, damit ich mich verteidigen kann. Als sie sahen, daß ich mich recht gut verteidige, nahmen sie mir die Bücher wieder weg, dann Papier und Kugelschreiber, haben mich in einer Einzelzelle isoliert. Ich durfte mit niemandem reden, keine Besuche empfangen. Papier besorgte ich mir dann durch Hausarbeit oder ich kaufte Packpapier und Klosettpapier, auf dem ich schreiben konnte. Das hab ich teilweise rausgeschmuggelt, denn offiziell wurde nichts weitergeleitet.

Als sie sahen, daß ich trotz Drohungen nicht aufgebe mich zu verteidigen, schickten sie den Psychiater zu mir. Der stellte gleich die Diagnose "Paranoia, Querulanz" und ich wurde in die Sonderanstalt Mittersteig, das ist eine psychiatrische Strafanstalt hier in Wien im 5.Bezirk, überstellt. Der Psychiater Sluga fragte mich während eines viertelstündigen Gesprächs nach dem Grund für meine Eingaben. Ich sagte: "Ich bin unschuldig verurteilt worden und dagegen wehr ich mich mit Eingaben. Das ist das einzige Mittel, der einzige Weg, mit sittlich moralischen und gesetzlich erlaubten Mitteln. Ich lehne jedwede Gewalt ab."

Er sagte, da könne er nichts sagen und ich wäre kein Fall für ihn, aber ich

müsse trotzdem hierbleiben, weil Stein nimmt mich nicht mehr zurück. Ich bin dortgeblieben.
Der Anstaltsleiter Dr.Otto Henkel drohte, wenn ich nicht aufhöre, Eingaben zu verfassen und mich zu verteidigen, werde ich entmündigt und in die Psychiatrie transferiert.
Ich habe mich nicht einschüchtern lassen und mich nach wie vor verteidigt. Darauf ordnete er an, daß ich in eine Einzelzelle komme. Im Mittersteig sind die Zellen tagsüber offen, da können die Häftlinge auf und ab gehen. Ich war Tag und Nacht in einer Einzelzelle eingesperrt. Papier, Kugelschreiber und Akten wurden mir weggenommen. Die Anklageschrift, alles. Viermal mußte ich meine Anklageschrift illegal mit Hilfe von Anwälten beschaffen, viermal wurde sie mir weggenommen.
Jetzt wäre die Entlassungszeit gekommen (das Drittel!). Da muß man ein Formular ausfüllen und um bedingte Entlassung ansuchen. Ich lehnte das ab, weil ich von dieser Republik keine Almosen brauche. Ich unterschreib sowas nicht. Nachdem gegen mich nichts vorlag, hätten sie mich bedingt entlassen müssen. Um das zu verhindern fingen sie an, mich zu provozieren. Die Justizler haben sie auf mich gehetzt. Ich bin zuerst beschimpft, bedroht worden. Dann gaben sie mir zuerst kein Frühstück, dann kein Mittagessen, dann kein Abendessen usw. Das ging soweit, daß ich bis zu drei Wochen nichts zu essen bekam. Nach drei Wochen haben sie mir so eine verschimmelte Extrawurst hineingeschmissen. Als ich sah, daß die Wurst verdorben war, ließ ich den Kommandanten rufen und zeigte sie ihm. Der sagte: "Wenn Sie nicht fressen, dann verhungern Sie", oder "Friß oder stirb", so auf die Art.
Die Entlassungszeit kam immer näher, das wäre der 13.9.75 gewesen. Ich ließ mich nicht provozieren und sie brauchten einen Grund, die Entlassung abzulehnen.
Am 24.8.75 wurde ich niedergeschlagen und so schwer verletzt, daß ich meine Schulter nicht mehr bewegen konnte. Ich vermutete einen Schulterblattbruch und verlangte nach einem Arzt.
Eine Stunde später ist aber der Psychiater Wolfgang Berner gekommen. Er sagte, in dieser Umgebung könne er mich nicht lassen, "Sie brauchen Luftveränderung".
Ich forderte ihn auf, meine Verletzungen zu objektivieren und festzuhalten und er sagte, ja wird gemacht. Dann schrieb er eigenhändig einen Brief an den Amtsarzt im Kommissariat, 5.Bezirk, hat ihn selber hingebracht, hat ihn gleich im Auto mitgenommen.

Der Amtsarzt ist zu mir in die Zelle gekommen, hat mich so von weitem -

er ist gar nicht hineingekommen - angeschaut, "ah, das ist der, gut". Ich habe mir erlaubt ihn zu fragen, wer er sei, er sagte, "der Amtsarzt". Dann forderte ich ihn auf, meine Verletzungen zu objektivieren und festzuhalten. Er sagte: "Ja, das wird sowieso da draußen gemacht". ich wußte nicht, was er mit "draußen" meint. Ich fragte ihn noch, ob er einen Ausweis bei sich habe, daraufhin schrie er mich an, was ich mir erlaube und wie ich mir das vorstelle, einen Ausweis zu verlangen, "Frechheit" usw., "der wird seine blauen Wunder erleben".
Er stellte ein Parere aus, daß ich selbst- und gemeingefährlich sei. Eine halbe Stunde später wurde ich schon mit Rettung und zwei Polizeiwagen, einer vor und einer nach der Rettung, mit Blaulicht und Folgetonhorn nach Steinhof transferiert, in diesen berühmt berüchtigten Pavillon 23. Die waren schon informiert, ich wurde erwartet. Zehn, zwölf Pfleger, bei zwei Meter groß und auch entsprechend schwer, nahmen mich in Empfang. Sie rissen mir sofort die Kleider vom Leib, gewaltsam - niedergeschlagen haben sie mich, in ein Gitterbett geschmissen, an Händen und Füßen gefesselt. Dann kam der sogenannte Arzt, der Schwiegersohn von dem Primarius Heinrich Gross, den ihr alle wahrscheinlich durch seine Nazivergangenheit kennt und wollte mir eine Spritze verabreichen. Ich stellte ihn zur Rede und fragte nach dem Grund für die Spritze. Er sagte, ich sei sehr nervös und krank und ich müsse beruhigt werden. Ich verbot ihm die Spritze und sagte, sollte er gewaltsam spritzen, dann würde ich ihn anzeigen und auch zivilrechtlich klagen. Darauf sagte er: "Drohen tut der auch, dann kriegens noch zwei Spritzen. Erst hat er so eine kleine gehabt, jetzt so eine große. So dick auch noch. Der Oberpfleger sagte, das sind jetzt 180 mg Daraktan. Daraktan ist ein Serum, wirkt auf das Zentralnervensystem ein und lähmt die Muskeln und die Atemwege. Fünf Minuten nach der Spritze bekommt man Krämpfe, irrsinnige Kopfschmerzen, als ob 1000 Ameisen im Gehirn herumkrabbeln würden. Man muß den Mund ganz aufreißen und nach Luft schnappen, man kriegt keine Luft, kann die Hände, die Füße, die Glieder nicht bewegen. Es fällt sogar schwer, den kleinen Finger zu heben und bereits von 20 mg fällt ein Büffel um. Mir haben sie 180 mg gegeben - in der Früh, zu Mittag und am Abend. Jeweils, wenn die Wirkung ein bißchen nachgelassen hat, die nächste Spritze. Aus Protest gegen diese Gangstermethoden bin ich dann in den Hungerstreik getreten.

Daraufhin haben sie mir wieder alles weggenommen, aus der Zelle, Bett auch, Tisch, Sessel, alles. Dort war ich auch in einer Einzelzelle untergebracht, extra für mich gebaut.
Dort sind die Patienten zusammen im sogenannten Tagraum. Es sind ja keine

Häftlinge mehr, sondern Patienten und sie können nicht mehr in Zellen gehalten werden.
Für mich haben sie um S 450.000.- eine Zelle gebaut, wo sie mich Tag und Nacht isolieren konnten. Sie sagten, wenn ich nicht esse, werden sie mich gewaltsam füttern, weil ich ein Selbstmörder bin. Ich sagte, "nein, das bin ich nicht. Wenn ich meine Akten zurückbekomme, Papier, Kugelschreiber und meine Post weitergeleitet wird, werde ich essen. Ich bestehe nur darauf, was mir gesetzlich zusteht."
Obwohl ich schon gefesselt war und im Gitterbett gelegen bin, haben die Pfleger sich auf mich gekniet, auf die Schultern, den Bauch, auf die Beine, Schenkel usw., haben mir den Mund aufgepreßt und ein Eisengestell hineingesteckt, und aufgeschraubt, bis mein Mund ganz offen war. Dann haben sie einen dicken Gummischlauch hineingedrückt, hinuntergedrückt; dieser Herr Arzt da war so gescheit, daß er ihn statt in den Magen in die Lunge gedrückt hat. Dann zogen sie mit einer großen Spritze eine Flüssigkeit auf und spritzten sie durch diesen Gummischlauch hinein in die Lunge. Natürlich bekam ich Erstickungsanfälle, Blut ist ausgeronnen.
Als er draufkam, daß das in die Lunge gegangen war, haben sie den Schlauch wieder rausgezogen und vier-, fünfmal versucht, immer wieder in die Lunge, bis sie ihn endlich im Magen gehabt haben.. Als sie fertig waren, ist natürlich wieder alles rausgekommen, durch diesen Brechreiz. Sie sahen, daß sie mich so nicht ernähren können.

Sie holten vom Justizministerium den Oberrat und Staatsanwalt Dr.Neider, der zuständig war für Mittersteig und Maßnahmevollzug. Der kam und fragte, was ich will.
Ich sagte, ich wolle meine Akten zurückhaben, Papier, Kugelschreiber, und daß meine Post befördert wird. Er sagte, gut, das wird gemacht. Und ich wollte auch zurück in die Anstalt. Er versprach, alles zu erledigen und ich solle den Hungerstreik aufgeben.
Ich sagte, ich würde erst aufgeben, wenn ich alles bekommen habe und meine Post weitergeleitet wird.
Er sagte, es würde 1 - 2 Wochen dauern, ich solle mich solange mit Infusionen künstlich ernähren lassen. Damit habe ich mich einverstanden erklärt.
Eine Woche später bekam ich meine Akten zurück, Papier, Kugelschreiber - ich kam zurück in die Anstalt, wie versprochen.

Dort haben sie mich aber dann ins Spital, in eine Zelle gebracht, ich sah vier so Wolfskäfige stehen, wie im Tiergarten oder im Zirkus, wo die Tiere gehalten

werden - ca. 1.80 m lang, ca. 80, 90 cm hoch und ca.60 cm breit mit Maschengitter.
Ich soll dort hineingehen.
Ich habe gefragt warum, und es hieß, das habe der Arzt angeordnet. Ich bin hineingegangen, weil ich wußte, laut Strafvollzugsgesetz können sie Gefangene ohne Angaben von Gründen bis zu 48 Stunden in ein Gitterbett einsperren. Ob man das als Gitterbett bezeichnen kann, ist eine Frage, aber ich bin hineingegangen.
Nach 48 Stunden ist zufälligerweise der Augenarzt zu mir gekommen, weil ich durch einen Zug ein Korn am Auge hatte.
Nach der Untersuchung wollten sie mich wieder in diesen Käfig stecken, ich sagte, nein, zuerst möchte ich eine Begründung dafür. Einen Beschluß vom Gericht. Darauf drohten sie, wenn ich nicht freiwillig dort hinein gehe, werden sie mich mit Gewalt hineinbringen. Ich sagte, gut, darauf laß ich es angekommen. Ich möchte einen Beschluß haben. Sie riefen im Wachzimmer an und es sind 10, 15 Justizler mit Stahlhelm und Gummiknüppel bewaffnet raufgelaufen und haben mich gleich niedergeschlagen, in eine Zwangsjacke geschnürt und mich in den Käfig geschmissen.
Da war ich im Gefängnis, im Käfig und in der Zwangsjacke. Etwa drei Stunden später ist der Anstaltsleiter mit 5 seiner Justizler gekommen und hat den Beschluß des Richtervereinigungspräsidenten vorgelesen, daß ich bis zu vier Wochen in diesem Käfig angehalten werden darf, weil ich gefährlich sei. Und um die Zwangsjacke und diesen Käfig nicht öffnen zu müssen, sagte er, ja, die Übernahme verweigern Sie sowieso, schreiben Sie drauf "Annahme und Übernahme verweigert" und Auf Wiedersehen. Ich sagte, ich verweigere nicht, ich unterschreibe schon, ich möchte diesen Beschluß haben.
Er hörte nicht auf mich und ging gleich.
Um diesen Käfig nicht aufmachen zu müssen, bekam ich 14 Tage lang nichts zu essen, nichts zu trinken und man ließ mich nicht auf die Toilette.
In diesem Zustand haben sie wieder den Amtsarzt geholt und wollten, daß er mich mit Parere wieder nach Steinhof einweist.
Er fragte mich, wie ich heiße, ich sagte meinen Namen, und er sagte, daß er mich kenne. Ich sei nicht geisteskrank, ich würde nicht eingewiesen werden. Er ordnete an, daß dieser Zustand abgestellt wird, daß ich aus dem Käfig rauskomme.
Am nächsten Tag kam wieder ein Beschluß nach § 50 Krankenanstaltengesetz, daß ich zur Beobachtung nach Steinhof gebracht werde.
Damit haben sie mich wieder nach Steinhof gebracht. Bevor ich noch rausge-

führt wurde, kamen zwei hohe Herren vom Justizministerium und machten das korrupte Angebot, ich bekomme eine sechsstellige Summe, einen Pass, wenn -

(Tonbandaufzeichnung abgebrochen, unvollständig)

Istvan Herczegfalvy lebt heute „in Freiheit“ — ohne Papiere und vollentmündigt. Seine Beschwerde gegen die Republik Österreich wird bei der Europäischen Kommission für Menschenrechte in Straßburg geprüft, behandelt und verhandelt.

Medikamentenstreik vom Europaparlament
/
anerkannt

Otto Grabner

Grenzüberschreitungen

warum bin ich hier und nicht an einem anderen ort? gibt es zufälle? oder ist der lebensroman ein system von verknüpfungen von linien, linien, die alle zu einem einzigen fluchtpunkt führen: zum tod. etwas in mir sträubt sich, an diesem referat über grenzüberschreitungen zu arbeiten, sträubt sich, mich einer sprache zu bedienen, die nicht die meine gewesen ist. ich habe meine sprache nie kennengelernt. ich durfte sie nicht finden, ich wußte, man würde mich nicht verstehen, das erste wort in meiner sprache würde mich verraten. die grenzen waren gezogen, ich spielte mit und wußte, daß ich spielte. aber im untergrund bewahrte ich die erinnerung an ein anderes sein, mein dasein war emigration von anfang an. also wartete ich. mein spiel ist ein falsches spiel gewesen. ich verachtete alle leute, die glaubten, was ich zu ihnen sagte mit meinen gebärden, haltungen, mit dieser sprache, die nicht meine sprache gewesen ist. später verdeckte die sprache in meinem kopf, der permanente innere monolog - ein schutzmechanismus - die wahrnehmung der umwelt. ich zwang mich dann dazu, nicht zu denken beim spazierengehen, zwang mich, nicht zu interpretieren, nicht zu deuten, wollte mir meine wirklichkeit zurückerobern, eine wirklichkeit, die parzelliert war. heute ist sonntag, der 29.september 1985. ich hatte mir vorgenommen, heute das referat "grenzüberschreitungen" ins reine zu schreiben, ein referat, das konkurrenzfähig sein sollte. und hier verläuft die grenze, die mein bewußtsein zerschneidet.
es sollte mir egal sein, ob ich zustimmung oder ablehnung erziele. denn erst dann wäre ich frei zu arbeiten - auch frei, mit anderen zusammenzuarbeiten. egal. ich sitze jetzt hier und tippe - und jetzt: das datum ist auf den 4.oktober gesprungen - sitze ich hier an diesem tisch und lese euch einen text vor, der bei weitem nicht das transportieren kann, was ich mitzuteilen hätte. ich erkenne meine grenzen. es ist mir egal, ob ich meine sprache finde, solange nicht klar ist, daß es unsere sprache ist, daß die sehnsucht verstanden zu werden und zu verstehen, der ursprung und das ziel unserer gespräche ist.

"schon um 5 uhr früh hekteln die eltern herum. das wichtigste sind die pässe und das geld, sagt der vater. aber mutter stopft sorgenvoll noch ein paar strandsandalen in den koffer."

die innere grenze, die sich wie eine schlinge um das zieht, was nicht sein darf, schiebt die äußere grenze, d.h. die notwendigkeit, die berührungen mit anderen persönlichkeitsgrenzen zu vermeiden, immer weiter hinaus. ich, eingekapselt in dem inneren raum, bin erstarrt, unfähig, mich zu vermitteln, mich auszudrücken, ohne möglichkeit, kontakt aufzunehmen. ich empfinde meinen körper, meine bewegungen im raum, höre mich reden, verhalte mich, wie ich aufgrund von erfahrungen annehmen muß, daß ich mich zu verhalten habe. ich darf nicht in erscheinung treten.

die angst vor imperialistischen übergriffen wächst proportional mit der sehnsucht, die entfernungen zu überwinden, die mich von den anderen trennen. grenze soll paradoxerweise (vor der angst) schützen und ist doch der motor aller angst. wer eingegrenzt ist, ist verlassen und gleichzeitig geschützt: das heißt, von jeder menschlichen hilfe ausgeschlossen. grenzüberschreitungen sind wagnisse, ohne die menschliche kontakte nicht zustandekommen können.

ohne den begriff des "raums" gibt es auch den begriff der "grenze" nicht. denn räume wurden in besitz genommen. also abgegrenzt. mit der materiellen welt würden auch die grenzen verschwinden. bewege ich mich mit anderen auf einer gemeinsamen ebene, tritt der raum in den hintergrund, wird bedeutungslos. die gegenstände verlieren ihre penetrante präsenz. in diesen situationen lassen wir gegenwart entstehen.
im wartezimmer wachsen zeit-und-raumgefängnis zusammen zu einem ort der angst. die ungeschriebenen regeln der gesellschaftlichen wirklichkeit in unseren köpfen machen marionetten aus uns. wer gibt der verkäuferin im supermarkt einen kuß?

sprachbarrieren sind soziale grenzen, die die massen daran hindern sollen, einen sogenannten "wissenschaftlichen" text zu verstehen. hat man sich eine gewisse übung in der analyse diverser satzmonstren erworben, wundert man sich, wie ein autor es zustandegebracht hat, einfache überlegungen verschachtelt zu papier zu bringen. vielleicht hat es ihm spaß gemacht oder er hat nach zeilenhonorar arbeiten müssen, der ärmste.

als ich unlängst in einem lokal in meiner gegend an der theke stand - es ging mir ausnahmsweise emotional ausgezeichnet - wagte ich es, meinem nachbarn voll ins gesicht zu schauen. wie ich dachte, nicht forschend, nicht abschätzig, nicht aggressiv, eher freundlich/schüchtern. "Is wos?" fragte er drohend. "nein", sagte ich, setzte mich an einen ecktisch, kramte mein papierzeug aus und begann, verbissen an einem text zu arbeiten.

es gibt die wahnvorstellung, daß es nur eine begrenzte menge an gedanken, gefühlen, lebensmitteln und wohneinheiten gibt. diese wahnvorstellung garantiert profite. aber das alles ist der schnee vom vergangenen jahr und kaum unbekannt.

241085

Liebe krista!

ja, ja, ich wurde geboren. heute habe ich einen ledermantel um 300.- verkauft - ein geschenk eines alten freundes. im sommer habe ich einen garten betreten und das war nur möglich, indem ich die morsche tür aus den angeln hob; die verhandlung ist am 14.11.85. das war in floridsdorf, in der nähe der SOZAK (ich versuchte mich in gesprächstherapie). jedesmal, wenn ich diesen rätselhaften halb verfaulten zaun sah (dahinter bäume, blumen), und auf der straße (eine einbahnstraße wie mir schien) in straßenstaub und auspuffgasen spielende kinder ("gast-arbeiterkinder"), stieg mir die galle hoch (man pflegt so zu sagen). und eines tages war es soweit. wurscht.

im frühling und sommer habe ich viel gelesen, manche würden vielleicht sagen, ich hätte mich überfressen. denn das gehirn wird ja gern mit dem verdauungsapparat verglichen.

meine veröffentlichungen sind spärlich. unlängst habe ich es geschafft, meinen schreibtisch aufzuräumen: links die zu überarbeitenden texte (eine lade ist für therapie bestimmt - im weitesten sinn). rechts ist fast nichts.

jetzt fällt mir nichts lustiges mehr ein: matura, psychologie - das ist alles nicht sehr erbaulich. es freut mich aber, daß - sollte das buchprojekt zustandekommen - auch mein beitrag darin enthalten sein soll (obwohl ich damit nicht zufrieden bin).

daß ich 33 bin, weißt du ja.

sonst mag ich nichts mehr schreiben; reden wir lieber einmal ausführlicher miteinander.

bussi: otto

Irene Halpern

Der lange Weg aus der Psychose

Die Wiederkehr der Liebe: Der neue Bruder und die neuen Eltern

"Kuckucksnest" (Zeitschrift, Thema: Psychiatrie), 3/85

Die Wiederkehr der Sexualität

Kann sich irgend jemand, der es nicht erlebt hat, vorstellen, was es heißt, wieder körperlichen Kontakt, zärtlichen, liebevollen Kontakt mit einem anderen Menschen aufzunehmen, nachdem jahrelang nicht nur alle Emotionen, auch das Gefühl vom eigenen Körper und die Wahrnehmungsfähigkeit schwer gestört waren?
Das ist nicht zu vergleichen mit langen Phasen sexueller Abstinenz, wie sie auch im Leben "gesunder" Menschen vorkommen. In solchen Situationen ist ja die Sexualität an sich nicht gestört; als Wunsch, als Phantasie, als Möglichkeit, oft auch in Form autoerotischer Praktiken bleibt sie lebendig. Es ist auch nicht zu verwechseln mit neurotischen Störungen, die zu Angst vor eigener und fremder Sexualität bis zu deren totaler und dauernder Ablehnung führen können. Ich habe in der Psychose Sexualität nicht abgelehnt und nicht gewünscht; sie war für mich, wie mein eigener Körper, nicht vorhanden.
Es ist eine unter Fachleuten und Laien weit verbreitete Ansicht, daß psychisch Erkrankte im Auftauchen aus der Psychose sehr vorsichtig mit sich und daß andere ebenso mit ihnen umgehen müßten. Nur keine starken Emotionen, nur keine aufregenden Erlebnisse. Nur "wohltemperierte" Gefühle seien zuzulassen, die nicht leicht wieder außer Kontrolle geraten. Die heute leider übliche Behandlung mit dämpfenden, ruhig stellenden Psychopharmaka trägt dazu bei, daß die Patienten diese Auffassung nur zu häufig akzeptieren und auch nach der Entlassung aus dem Krankenhaus danach leben.

Ich teile diese Auffassung nicht. Als Übergangsphase von kurzer Dauer mag ein solcher Zustand manchmal heilsam sein. Sowie er zum Dauerzustand ausartet, führt er bestenfalls zu äußerlicher Anpassung (Arbeitsfähigkeit, Einordnung in die Gesellschaft), vielleicht auch zu scheinbarer Harmonie mit der Umgebung, weil die Fähigkeit zum Aufbegehren, zum Protest gegen Verhältnisse, die ursprünglich die Psychose ausgelöst haben, verloren gegangen oder direkt durch die Behandlung ausgetrieben worden ist. Zu einem vollen Leben und damit zu geglückten sexuellen Beziehungen führt er nicht. Und warum sollten wir, die wir eine Psychose überstanden haben, uns nachher mit einem halben Leben zufrieden geben?

Mir erscheint es völlig klar: eine Störung, die so stark ist, daß sie bis auf den Grund die gesamte physische und psychische Persönlichkeit erfaßt, kann nur durch ebenso starke Emotionen und Erlebnisse vom Grund aus aufgelöst werden. Die total erstarrte Psyche ist nur durch totale Erschütterung wieder in Bewegung zu bringen. Es ist dabei fast gleichgültig, ob die Erschütterung unter einem positiven oder einem negativen Aspekt erlebt wird; wichtig ist nur ihre Intensität.

(Auszug)

Irene Halpern ist 1945 einunddreißig Jahre alt gewesen.
Ihr Buch "Tänzerin im Traum" erschien 1984 in der "herbstpresse".

Ernst Kostal

Meine Damen und Herren!

Es war wie immer eine schwere Geburt. Wenn Sie wüßten, wie Sie mich seit Tagen entsetzlich plagen. Aber es ist sich gerade noch ausgegangen,.daß ich Ihnen ein paar vernünftige Worte über das Thema sagen kann, das ich mir für dieses Symposion gewählt habe.
Ich spreche über die Wahrnehmung des Wahnsinns oder die Entbindung des wirklichen Menschen aus der Neurose.
Das sogenannte normale Leben ist nicht auszuhalten. Dennoch halten sie es aus.
Es ist das tägliche Zu-Markte-Tragen der eigenen Haut. Das täglich alltägliche Aufgeriebenwerden und Sich-selbst-Aufreiben in den Prozessen der Gesellschaft. Der täglich alltägliche auch nach außen hin mörderische Selbstmord. Das sogenannte normale Leben ist nicht auszuhalten. Wirklich nicht auszuhalten. Dennoch halten Sie es aus. Warum?
Der Frust ist zwar ungeheuer, aber er ist offenbar doch nicht intensiv genug, daß Sie dem Ganzen ein Ende setzen. Warum?
Weil Sie sich dieses Ende nur als Selbstmord vorstellen können. Und dann wäre ja wirklich alles aus. Endgültig nicht mehr rückgängig zu machen. Ewig besiegelt. Und das ist wohl wirklich das Furchtbarste, was überhaupt vorstellbar ist: der Tod eines Menschen, der niemals wirklich gelebt hat. Und vielleicht, vielleicht ist alles doch noch einmal rückgängig zu machen, irgendwann einmal.
Also muß es weitergehen, also müssen Sie weitermachen. Aber weil Sie keine Alternative kennen und weil Sie sich verständlicherweise nicht endgültig umbringen wollen, sind Sie in der Sache und für die Sache engagiert, die Sie umbringt. Sie sind zu ihr gezwungen. Aus Ihrer furchbaren existentiellen Not sind Sie existentiell in der Sache engagiert, mit der Sie sich und Ihre Umwelt vernichten. Gurus der falschen Sache, einer Sache, die Sie bis in die blindwütige Raserei und bis zum entsetzlichen Eingefallensein in sich selber treibt. Aber selbst dann sehen Sie sie nicht.
Denn das alles ist ja so romantisch, so schrecklich und entsetzlich und verlogen schön.
Romantik ist das Engagement in der falschen Sache, der Wahrheitsschein der

falschen Sache. Romantik ist die Suche nach der Wahrheit, der die wirkliche Wahrheit Tabu ist.

Was aber ist die Wahrheit?
Die Wahrnehmung des Wahnsinns ist zugleich die Entbindung des wirklichen Menschen aus der Neurose. Die Methode dieser aus dem Wahnsinn entbindenden Wahrnehmung des Wahnsinns ist das denkende Erspüren des Wahren und des Falschen im Spüren wie im Denken. Und das ist die Methode der Wahrheit und zugleich der Weg, die Wahrheit und das Leben.
Ich werde Ihnen jetzt in drei Schritten ein Gefühl und ein Wissen dafür zu vermitteln versuchen, was diese Wahrheit ist. Ich werde Sie an Ihren innersten Kern heranführen mit einem Bericht 1. über meinen eigenen Wahnsinn, 2. über den Wahnsinn dieser Gesellschaft und 3. über diesen innersten Kern.

Derjenige, dem es widerfährt, daß er die Wahrheit zum erstenmal erfährt, der ist von ihr überwältigt. Und er ist nicht nur im Guten überwältigt, sondern auch unendlich erschrocken. Denn er erfährt nicht nur zum erstenmal die Wahrheit seines wirklichen Lebens, er begegnet auch zum erstenmal unmittelbar, uneingeschränkt und unaufgehalten seiner eigenen entsetzlich verstümmelten Denk- und Fühlgestalt, die ihm in den Leib geschrieben und im Gesichte steht. Er begegnet seinem eigenen Totsein, seiner Neurose. Wahnsinn dieser Art - und nur er gilt in dieser verrückten Gesellschaft als der eigentliche Wahnsinn - ist die unmittelbar gleichzeitige Selbstbegegnung des Ich mit seiner Neurose und der Wirklichkeit seines Lebens. Derjenige, dem dieser Wahnsinn widerfährt, weil er den sogenannten normalen Wahnsinn nicht ausgehalten hat, dem passiert es, daß er entweder vor Schreck überhaupt erstarrt oder daß er abfährt in die schwindelerregenden Höhen der Manie und dort unaufgehalten unendlich weitergetrieben wird oder daß er in Mischzustände fährt aus unendlicher Freude und unendlicher Depression. Oder es überwiegt überhaupt die Depression.
Das alles ist begleitet von den Erfindungen, Unterschlüpfen und Zwangsmethoden, die ihm die Seele zu seinem Schutz bereitstellt. Manchmal redet er wahr, oft verwirrt sich ihm alles, oft schweigt er überhaupt und ist in sich zerfallen. Er ist jedenfalls in diesem Zustand nicht in der Lage, seinen Wahnsinn wahrzunehmen. Er ist auf Hilfe angewiesen. Er ist darauf angewiesen, daß man ihn da herunter oder heraufholt, auf jeden Fall herausholt. Und das geht zunächst sicherlich nur mit Medikamenten. Aber da setzt dann die Behandlung durch die Klinik ein. Sie hätte die Aufgabe, den Wahnsinn, den je eigenen Wahnsinn des ihr Anvertrauten wahrzunehmen. Sie müßte ihm bei seiner Selbstentbin-

dung behilflich sein. Aber das kann sie nicht. Denn dazu müßte sie ihren eigenen Wahnsinn und den der ganzen Gesellschaft wahrnehmen.
Sie müssen sich die Situation Psychiater - Patient einmal vergegenwärtigen. Sie wäre ja komisch, wenn sie nicht so mörderisch wäre: es stehen einander zwei Verrückte gegenüber, von denen der eine, der Patient, die Wahrheit intensiver spürt als der andere, der Arzt. Der aber erdrückt den Patienten mit der ganzen massiv subtil brutalen Gefühls- und Wissensgewaltsamkeit der Institution, die er vertritt, und die selbst wiederum nur ausführende Funktionsstätte der Gesamtgesellschaft ist.
Die Klinik überfährt den Patienten, erschlägt ihn in seinen wirklichen Regungen und preßt ihn wieder zurück in das neurotische Aushalten seiner Gefühls- und Denkverstümmelung. Sie tut das mit dem ganzen rechthaberischen Dünkel ihrer neurotischen Gefühlsgewalt und ihrer gespenstischen Vernünftelei universitärer oder auch weniger universitärer Herkunft. Es geht dabei zumeist überhaupt nicht mehr um körperliche Gewaltanwendung. Die Glacehandschuhe der Mörder sind undurchsichtiger geworden. Sie sind demokratisch tolerant.
Die Klinik ist wie die Gesamtgesellschaft eine Produktionsstätte von Totgeburten. In ihr wie in der Gesamtgesellschaft wachsen weder Bäume des Lebens noch solche der Erkenntnis.

Ich war, als ich über mein heutiges Unternehmen hier nachzudenken begonnen habe, nahe daran, mir vorzunehmen, Sie auf meinen eigenen Wahnsinn einzuschwören. Aber das wäre falsch gewesen. Es hätte weder mir noch Ihnen gut getan.
Es muß anders gehen. Es geht zwar nicht, ohne daß auch Sie die ganze Negativität der Gesellschaft in Ihnen und um Sie herum wahrnehmen. Aber Sie müssen sie zuerst ins Wissen lassen und dann ins Gefühl. Und deshalb rede ich jetzt zu Ihnen.
Aber ganz ohne extreme Zustände geht die Entbindung aus der Neurose nicht ab. Räusche sind ein gutes Hilfsmittel. Trips etwa kommen dem Wahnsinn am nächsten. Sie sind wirklich gut. Ich kann sie nur empfehlen. Aber nicht jedem zu jederzeit.
Ich z.B. war lange Zeit schwerer Alkoholiker. Und ich bin an der Alkoholsucht fast gestorben. Und deshalb steht es mir auch zu, euch zu sagen: wenn euch danach ist, sauft euch so kräftig an als es nur geht. Bis zum Exzeß. Denn manchmal taucht man aus einem Exzeß auf und weiß ein wenig mehr.
Für mich z.B. war es sehr lehrreich, die Entzugshöllen zu spüren. Ich wurde aufmerksam auf die Höllen.

Der Entzug kommt nicht aus der Sucht, sondern die Sucht aus dem Entzug. Wenn ihr aber Gift nehmt, laßt euch von der allgemeinen Sorgehysterie der mörderischen Helfer nicht anstecken. Und laßt euch nie klinisch reinigen! Denn wenn einer so dahinvegetiert wie z.B. die anonymen Alkoholiker, es wäre besser für ihn ... aber lassen wir das. Süchtig sind alle. Süchtig nach sich selbst. Die Selbstsucht ist eine Bastion auf dem Weg ins wirkliche Leben. Aber man sollte sich nicht ewig hinter ihr verschanzen müssen.

Die Rauschgiftsucht ist nicht deshalb so verpönt in der Gesellschaft, weil sich viele mit ihr ruinieren. Sie ist deshalb so verpönt, weil sie die Wahrheit der Gesellschaft zum Vorschein bringt.

Aber so einfach ist das nun doch nicht mit der gesellschaftlichen Funktion der Rauschgiftsüchtigen, der Wahnsinnigen, der Selbstmörder, der sogenannten Lustmörder, der Terroristen und der anderen Gewalttäter.

Einerseits ist diese Funktion eine romantische, was das tägliche selbstmörderisch-mörderische Tun der Normalneurotiker betrifft. Denn denen gegenüber können sie sich gut vorkommen. Und so bös sind sie ja wirklich nicht. Denn sie tragen ja tatsächlich alltäglich brav ihre Haut zu Markte und lassen sich auch sonst nichts Gröberes zuschulden kommen. Andererseits ist diese Funktion die des berühmten Sündenbocks. Und 3. die des Stellvertretungsobjekts für die zurückgehaltenen Wünsche und/oder Perversionen der Normalneurotiker.

An diesen bösen anderen, und das sind prinzipiell überhaupt alle, entzünden sich dann entweder die mörderischen Helferinstinkte, Mitleidsinstinkte und/oder die Aggressionen der perversen Normalen. Auf alle Fälle gibt es ein Sensatiönchen oder eine Sensation, ein Skandälchen oder einen Skandal, den perversen Rezipienten von perversen Produzenten massenmedial ins Haus geliefert. Je größer das Delikt, je größer die Anzahl der Toten, umso besser. Denn die falsche Sensation verraucht so schnell. Wahrlich, es wäre ein Jammer, wenn all das und noch viel mehr nicht passieren würde. Die armen Normalen wüßten dann nicht, womit sie ihre Zeit vertreiben sollen.

Wer zu sich kommen will, muß das alles vergessen, in jene vollständige Belanglosigkeit zurückstellen, von der es in Wahrheit ist. Auch die Atombombe. Denn tut er es nicht, ist er, ob er es nun wahrhaben will oder nicht, Mitverursacher von alledem. Aber noch viel wichtiger ist: tut er es nicht, bleibt er ewig sein eigener Verbannter.

Es gibt keine andere Alternative als die Fahrt ins eigene Zentrum. Süchtig sind alle. Und solange noch ein Fleisch da ist, bleibt es möglich, ist die Entbindung des wirklichen Menschen aus der Neurose, das Nachholen der eigenen Geburt, möglich.

Aber solange es nicht gelungen ist, bleibt alles schrecklich oder verlogen schön, bleibt alles, auch das bestgemeinte, durch und durch böse.
Aber es gibt keine auch noch so perverse Tat, die nicht ihren Ursprung hätte in der Sucht nach sich selbst und in der Verzweiflung über die Fruchtlosigkeit der romantischen Suche, in der Verzweiflung über das nicht und nicht finden Können des so süchtig Gesuchten, keinen Mord, keinen Selbstmord, keine Quälerei. Ja, der so letztendlich unausweichlich erscheinende Untergang dieses ganzen falsch geheiligten Spuks im Atomblitz hätte seinen Ursprung im Leben selbst und in der verzweifelten Selbstsuche derjenigen, die es in diese Welt verbannt hat.
Und das ist die ganze Perversion, daß das Leben selbst es ist, das, verdeckt, verstellt, verschüttet, tabuisiert, den Vernichtungsprozeß in Gang hält und immer weiter vorantreibt.
Die Gesellschaft als Ganzes ist der Skandal, gegen den sie sich verwehren müßte.
Und: kein einzelner kann so böse sein, daß ihm nicht die Gesellschaft an Bösartigkeit weit voraus wäre. Ausgenommen, er hat die Möglichkeit, seine persönliche Neurose auf der weltpolitischen Bühne auszuleben. Aber selbst dann ist er an gewisse Spielregeln gebunden, die unter Umständen noch bösartiger sind als er selbst. Spielregeln, die ihn in seiner Bösartigkeit decken, und die er mit seiner Bösartigkeit deckt. Der bekannte Befehlsnotstand.
Aber wer in dieser Gesellschaft hat nicht irgendwo so eine Machtposition, und sei sie noch so klein.
Die Gesellschaft ist ein einziges Konzentrationslager solcher Politiker.
Und Politiker sind die Huren der Katastrophen, die sie heraufbeschwören.

Gefühl, meine Damen und Herren, wie gering dosiert auch immer, ist nicht geeignet für solches Funktionieren. Und deshalb ist die Gesellschaft hinorientiert auf seine vollständige Auslöschung, auf die restlose Austreibung der Seele, die endgültige Entmenschung aller Menschheit.
Diese zweite Zukunftsvision für die Gesellschaft bei nicht atomkriegerischem Krankheitsverlauf hat ein gewisser Julius Schittenhelm im Konkursbuch Nr.1 (1978) auf S. 199 mit treffendem Sarkasmus beschrieben. Ich zitiere: (...)

Die Müllmutanten

Wenn endlich sich die Industrie von Staatscomputern bilanziert, verselbständigt auf dieser Welt und völlig sinnlos produziert, weil längst der Mensch als Kunde fehlt, dann seh ich dies als Utopie: Heftig werkten Biologen (denn der Mensch muß überleben), als die ersten Säureregen übern Erdenhimmel zogen.

Und sie wechselten die Gene, tauschten aus die Chromosomen, Riesen, Zwerge, Kasperln, Gnomen bildeten die erste Szene. In der zweiten schauten grause Ungeheuer durch die Fenster der Labors und Schreckgespenster - Frankenstein wirkt als Banause. Erst die dritte Reihe brachte endlich doch noch die Mutanten, die ein Team von Hirnverbrannten für die Industrie erdachte. Stickstoffatmer, Säuresäufer, Asphaltschlecker, Erdgasfurzer, Schrottzerbeißer, Eisenscheißer, Kunststoffkauer, Rohölpisser, Kernreaktorabfallschlucker, Kernreaktorbrennstoffknacker und noch viele neue Rassen von uns heut noch unbekannten Müllmutanten - nun als Rohstofflieferanten.
Und auf unfruchtbarer Erde, leblos wüster, bauen eilig Roboter, ganz unbeteiligt, Möbel, Autos, Küchenherde. Emsig rattern die Fabriken und man kann aus ihren Toren quellend Züge, wie verloren, gütervollbepackt erblicken. In den Städten, hellerleuchtet, stehen angefüllt Geschäfte, Proteine, Kunstfruchtsäfte, Abwaschtücher, angefeuchtet. Nur zur Jahreswende karren, wegen Inventur und Steuer, alles schuttwärts die Betreuer, wo schon wir Mutanten scharren.

Aber genug des Bösen. Wir wollen es ja ins Gute wenden. Aber wie das anfangen? Es gibt niemanden, der nicht irgendwann einmal eine Zeit gehabt hat, in der er durchgesehen, in der er sich herausgesehen hat. Und das war eine Zeit. Damals ging ihm alles wie von selber von der Hand und fügte sich wie von selber. Aber irgendwie ist ihm das Ganze dann wieder entschwunden. Er kann es nicht mehr sehen. Es ist, er ist, wieder untergegangen im täglichen Trott und der allgemeinen Gleichgültigkeit.
Es gibt die wildesten, verrücktesten, verquersten, alles durcheinanderbringenden Geschichten von der verlorengegangenen Wahrheit, die deshalb eine so große Faszination ausüben, weil sie die Wahrheit wenigstens noch thematisieren, von Dracula über Atlantis bis zum verlorenen Paradies.
Ja, im Grunde ist alles, auch der billigste Dreigroschenroman, so eine Geschichte. Und in Wahrheit ist er um nichts besser und um nichts schlechter als die mit einem ungeheuren Nimbus umwehten, sich selbst beweihräuchernden Großunternehmungen unserer sogenannten Kultur. Und wer von uns hat nicht schon über sich selbst und die Trivialitäten, die er treibt, hochnäsig die Nase gerümpft. Und erst über die der anderen. Und wer ist nicht dauernd den wohlgemeinten Ratschlägen und Einflüsterungen der sich um ihn Sorgenden ausgesetzt, die versuchen, ihn dazu zu überreden, die Messe dieser Kultur doch ernster zu begehen als er es tut, wie z.B.: Hättsd wos Gescheidas gleand, stündasd jetzt ondas do - oder - Wie kannst du dich nur mit so etwas abgeben? Etc.

Es ist zum Schämen. Und ich kann Ihnen versichern: das ist alles verlorene Liebesmüh. Sie könnten sich ebensogut auf den Mond schießen lassen als neuzeitliche Kälber im Weltraumanzug.
Bevor Sie es nicht umgewendet haben, bevor Sie sich selbst nicht hervorgeholt und herausgeholt haben aus diesem ganzen faulen Zauber und seiner falschen Heiligung, bleibt die Messe dieser Kultur Ihre eigene Totenmesse.
Wenn es Ihnen aber gelungen ist, wenn Sie es gewendet haben, dann gibt es kein Zurück. Denn es ist so schön, daß es kaum auszuhalten ist. Sie haben Ihre Geburt nachgeholt. Sie haben sich selbst hervorgeholt aus Ihrer verrückten, selbstmörderischen, entsetzlich finsteren Vergangenheit. Sie haben sich ans Licht der Welt geholt und es ist Licht geworden in Ihnen.
Und jetzt kommt alles zurück. Sie holen sich nach von Anfang an. Sie holen sich nach aus Ihrer Geschichte. Und plötzlich haben Sie eine Geschichte. Und was für eine! Denn Ihre Geschichte enthält die ganze Weltgeschichte von Anfang an.
Aber da müssen Sie beginnen zu unterscheiden, sonst hält man Sie zurecht für verrückt. Denn Sie sind nicht alles. Sie tragen es nur in sich.

Ernst Kostal, abgeschlossenes Studium der Philosophie und Germanistik, Nächte am Schlagzeug oder im "U4", Autor.

(Zwanzig Jahre hat es nicht geläutet, als es auf einmal läutet und Egilde nachschauen geht, wer draußen steht.
Aber niemand ist an der Tür.)

Thomas Losch

Die Stadt Wien gratuliert ihren Hochzeitsjubilaren

Zwanzig Jahre hat es nicht geläutet.
Immer nur geklopft, wie es der Briefträger und die Heimhilfe machen.
Und jetzt auf einmal dieser Klang.
Ein schriller heller Klang, der die Zukunft bestimmen wird.
Ein unabänderliches Schicksal.

Seltsamerweise ist die Tür offen.
Sie geht nämlich auf.
Egilde hat gar nicht abgeschlossen.
Die Tür geht auf, in die Wohnung hinein der Türflügel.
Egon hört es.
Starr, lahm, unfähig, dies zu begreifen.
Egilde sieht es, als ging sie das ganze nichts an, als sei dies ein Stück aus einer anderen Welt.
Eine Masse schiebt sich durch die Tür.
Ein Mensch.
Der Bezirksvorsteherstellvertreter und sein Sekretär.
Der Reporter der Bezirkszeitung und die Fotografin.
Alle stehen sie auf einmal in der Küche.
Egilde weiß nicht, was das ist.
So etwas hat sie noch nie gesehen.
Wollen die was zum Essen.
Gesindel?
Zum Anspucken?
Unglaublich ist das.
Gesindel von der Straße. Man kommt sie holen. Der Dicke da, der den Mund aufmacht "Grüß Gott, dürfen wir herein kommen?" ist jener Verbrecher, den sie im Fernsehen immer gesehen hat. Von dem sie gesagt haben, daß er die Blinden immer holen kommt, um sie einzusperren.

"Kommen Sie nur herein!" sagt Egon in seine Nacht, mit einer Handbewegung, "kommen Sie nur herein", sagt er, ist ihm schon alles wurscht, hat er sein Leben schon aufgegeben?
Sie nicht. Sie wird diesen Dicken kratzen, anspucken wird sie ihn, wenn er glaubt, sie lasse sich von ihm schlagen, nein, nein, der Egon schlägt, das weiß sie, aber der da nicht.
Was?
Wie?
"Gnädige Frau" (?)
So etwas hat sie noch nie gehört. Das hat ihr der Egon noch nie gesagt. Nie in diesem Zimmer.
Gnädige Frau?
Wo gibt's denn sowas.
Dieses Wort kennt sie gar nicht.
Ist sie vielleicht die Kaiserin?
Kämmt sie sich die Haare?
Der Egon sieht ja nicht, wann sie sich die Haare kämmt. Der weiß ja nicht, was eine gnädige Frau ist.
Soll sie das dem Dicken sagen?
Daß das der Egon nicht weiß?
Der sieht ja nix.
Sieht das der Dicke nicht?

"Gnädige Frau" sagt der Dicke, der steht auf einmal vor ihr.
So etwas hat sie noch nie gesehen.
Daß ein Dicker vor ihr steht und gnädige Frau sagt.
Was will er?
Ist er von der Feuerwehr? Ist was passiert? Hier brennt nix. Nix brennt hier. Sie hat immer das Gas abgedreht nach dem Kaffeekochen. Immer. Da kann ihr der Dicke nix.
Mit nix kommen. Zur Polizei. Zur Polizei geht sie selber, ja, mit nix kommen kann er da.
Gnädige Frau?
Gratulieren wir Ihnen? Sagt er?
Wer? Wofür? Sie hat immer einen sauberen Haushalt.
"Zu Ihrem Hochzeitsjubiläum", sagt er.
Polizei.
Hochzeitsjubiläum?

Sagt der Dicke.
Wie das Weib vor Schreck richtig hinschaut, diese Menschen in ihrem Zimmer vor sich sieht, strahlend lächelnd sogar, weiß sie nicht, wie ihr ist. Soviel Menschen. Sie drücken einen an die Wand, sie setzen sich auf Sessel, die ihr und dem Egon gehören. Und niemand weiß, was sie wollen.
Ein Dicker vor ihr?
Hochzeitsjubiläum?

"Selber genäht hab ich sie, selber genäht!" stößt es aus ihrem Mund hervor, unförmig und doch verständlich.
Die Leute starren sich kurz an, ein verstehender Blick.
Egon nickt.
Wie zur Bestätigung.
Der Raum ist trostlos.
Der Kasten, das Sofa, der Tisch, trostlos, der Gestank ekelerregend, der Dicke will schon gehen.
Die Fotografin fotografiert.
Der Dicke geht nicht.
Ihm ist schlecht.
Es dreht sich in ihm, wozu ein Politiker doch verpflichtet ist, dieses Gesindel, ein Blinder und eine Blöde, das hat ihm heute noch gefehlt. Hat der Computer falsche Daten ausgespuckt?
Nichts von einem aufgeschwemmten Blinden und einer abgestandenen Luft.
Er wird aggressiv.

"Selber genäht hat sie sie, selber genäht!" sagt nun Egon zur Bestätigung dessen, was Egilde gesagt hat.
Wird man sie zur Verantwortung ziehen?
Anklagen?
Mitnehmen?
Wegzerren?
Aus der Wohnung?
Wohin?
Ins Altersheim?!
Aber sie können noch fernsehen!
Sie können stricken und nähen.
Auch Blinde.
Alles bekommen sie mit. Jede Nachricht. Sie wissen, was los ist in der Welt.

In Südamerika und in Vietnam. Sie brauchen noch nicht ins Altersheim. Sie können noch gehen. In der Wohnung auf und ab. Am Dienstag geh ich wieder demonstrieren. Er weiß, daß das Weib ihm immer seine Demonstrationsschuhe putzt.
Er weiß, was vorgeht in dieser Welt.
Man kommt sie holen.
Er hat's ja gewußt.
Lächelnd holen.
Mit einem Blumenstrauß.

Er riecht das Zeug. Er riecht dieses Unkraut, daß ihm ganz schlecht wird. Er ist einfach ganz allergisch gegen Pflanzen. Diese fleischfressenden Blümelein fressen nicht nur Insekten. Es sind tödliche Flanzen, die ihnen der Bezirksvorsteherstellvertreter heimtückisch in die Vase stellt. Er wird sich zu wehren wissen. Einer seiner Freunde muß ja noch leben, irgendwo in dieser gottverdammten Stadt. Ein Anwalt, vielleicht ein Minister.

Immer stickiger wird die Luft.
Der Bezirksvorsteherstellvertreter, sonst immer bereit, sich interessiert zu unterhalten, nett zu lächeln, sich über betagte Mütter zu beugen, um ihre schwachen Stimmen besser hören zu können, kann nicht.
Etwas würgt ihn.
Die Diskrepanz zwischen seinem Zuhause und dem hier.
Ein Lächeln den Erniedrigten und Beleidigten?
Er schiebt seinen Sekretär beiseite, dieser den Reporter, der Reporter die Fotografin und diese knipst.
Das Menschenknäuel schiebt und verschiebt und wird verstrickt.
Die goldene TV-Fernbedienung, ein Geschenk der Stadt an ihre verdienten Bürger, liegt auf dem Tisch.
Die Namen Egons und Egildes eingraviert.
Der Bezirksvorsteherstellvertreter will gerade die goldene Fernbedienung diesem aufgeschwemmten blinden Mann überreichen, als ihm sein Sekretär einen Stups gibt. Im rechten Moment. Noch hatte der Bezirksvorsteherstellvertreter nichts gesagt. Wer gibt einem Blinden schon eine TV-Fernbedienung?

Der Bezirksvorsteherstellvertreter hat in den letzten Tagen soviel getan, daß er völlig erschöpft im Sessel versinkt.
Seine Nerven sind am Ende.
Das ewige Lächeln!

Eine Arbeit, die ihn bisher noch keinen Schritt weiter gebracht hat. Wer sind diese beiden verstunkenen Säue hier?
Kann man denen überhaupt die Hand geben?
Ein Bild mit denen zusammen mit ihm in der Zeitung und er ist endgültig festgenagelt.
Als ein Politiker, der mit dem Blumenstrauß in der Hand zu Hochzeitsjubiläen und so hatscht.
Das Grinsen der anderen im Rathaus hat er vor sich.
"Liebe Frau Maier, ich gratuliere Ihnen im Namen der Wiener Stadtverwaltung zu Ihrem 95. Geburtstag!" Und so.
Aber der Computer hat nichts ausgespuckt.
Nichts von einem Blinden und, na ja, von einer Blöden.
Nur von Anti-Vietnamkriegs-Demonstranten, die den US-Imperialismus in Schranken zu halten versuchten.
Das hat der Computer ausgespuckt. Meinetwegen.
Er fragt die Blöde gerade heraus - wie man es bei aufstrebenden Politikern so schätzt - was sie von der derzeitigen US-Politik hält. Nein, den Blinden kann man ja nicht fragen. Dem seine Welt ist nicht seine. Oder?
Er wartet eine Antwort gar nicht ab. Es war nur eine Routinefrage. Man fragt nach den besonderen Interessen, die der Computer zur Person angibt. Nach den Blumen im Garten, nach dies, nach das.
Er lehnt sich zurück.
Egilde schreit.
Nein, sie blökt.
Sie kann nicht schreien.
Sie möchte irgendwas rufen, nach Therese vielleicht, aber sie kann nicht.
Ihr Mund zuckt nur und sie glaubt, daß sie Schaum hat.
Oder Spucke.
Völlig entgeistert schaut sie.
Der redet!
Der redet da mit mir.
Der Dicke da redet, was noch nie passiert ist. Wenn Manuela Sprachlos im Fernsehen redet, dann muß sie nicht spucken. Nicht antworten. Die reden von alleine und fragen nach nix. Da muß sie nix wissen oder was. Wer antwortet denn.
Wo gibt's denn sowas.
Auf solche Fragen? Die hat sie noch nie gehört.
Eine derzeitige US-Politik.

Woher soll sie denn das wissen.
Sie hat den Koffer im Keller.
Hat man ihn schon entdeckt?
Will man sie verhaften? Weil sie den Koffer im Keller hat?
Was die sich einbilden!
Natürlich kann sie sich vom Egon scheiden lassen.
Wollen die ihr drohen?
Sie weiß es.
Jede Frau kann sich scheiden lassen.
Nicht so. Nicht so mit Blumen kommen und zum Jubiläum gratulieren.
Einfach in die Wohnung reinkommen.
Nix mit einer derzeitigen US-Politik!
Nicht mit ihr.
Sie hat den Koffer im Keller und das ist alles.
Selber genäht hat sie sie.
Selber genäht.

Die ehelichen Pflichten.
Die hat sie getan.
Selber genäht hat sie sie.
Und nicht der Egon.
Eheliche Pflichten kennt der nicht. Der nicht!
Der hat keine.
Der hat keine ehelichen Pflichten nicht.
Das wollte sie schon längst der Therese sagen.
Schon längst. Ob ihr Hannes eheliche Pflichten hat. Der kennt das. Der weiß, was das ist.
Aber der Egon, der nicht.
Da können sie ruhig fragen! Den Ho-tschi-Minh!
Der hängt da!
Der weiß, ob der Egon eheliche Pflichten hat!

Apathisch sitzt der Politiker da. Seine Fragen gehen ins Leere.
Eine offenbar geistig gestörte Frau.
Er faltet seine Hände und sieht sie interessiert an. Genau das macht er mit allen Jubilaren. Die besten Fotos kommen dann in die Bezirkszeitung. Eine Omi umarmen. Mit einem Opa eine Pfeife rauchen. Aber das hier.
Die Frau spuckt und wirft ihren Kopf abwechselnd nach links oder nach rechts.

Die dumme Gans von der Zeitung fotografiert das auch noch die ganze Zeit.

"Genäht hab ich sie, selber genäht!", sagt die Frau in einem fort.
Keiner kann sich darauf einen Reim machen.
Schweiß rinnt ihm von der Stirn. Zu Hause sitzt seine Frau und kocht. Peking Ente.
Was?
Ihre Strickjacke hat sie wohl selber genäht. Man sollte das bewundern. Damit einmal ein Ende ist hier. Aber alles lähmt hier. Man ist eingesperrt. Der Dreck nimmt einen gefangen. Verschwommen beobachtet er die komische Blöde, die offenbar zu ihm spricht. Ihr Mund stößt Laute hervor. Der Blinde sagt dasselbe!
"Nur du hast sie mir genäht, nur du!"
Eine Verschwörung?
Die Fenster des Ehepaares (ist es überhaupt eines?) sind geschlossen. Ein Blick auf seine Uhr sagt es ihm. Man jubiliert sonst höchstens eine Stunde.

Hinter dem Bezirksvorsteherstellvertreter steht sein Sekretär, der die goldene TV-Fernbedienung wie eine Waffe in der Hand hält.
Die Alte erschlagen.
Den Alten abwürgen. Er liebt es brutal.
Murks! Flopp! Würg!
Schon Hitler hat es so gemacht.
Unnötige Esser?
Blinde?
Na ja. Wir leben ja in einer Demokratie. Und ich hab Pflichten. Bezirksvorsteher möcht ich werden. Ja. Und der Weg dorthin ist, sagt er sich selbst, m ü h - s e l i g . Hiebei muß er lächeln und schlägt sich die Fernbedienung mit der Linken immer wieder in die Rechte. Leise wippend.
Eine schöne Wohnung haben die hier. Sein Sohn kommt ja schon langsam in die lustigen Studentenjahre. Da braucht er eine sturmfreie Bude. Eine widerliche Gestanksfontäne benebelt ihm jeden weiteren Gedanken. Zukunftspläne schmieden unter so einer Duftglocke? Nein, danke! Ihn ekelt.
Hat der Blinde gar einen Schas lassen?
Wie ein gereiztes Raubtier, sprungbereit im Innersten, nach außen aber gelassen sympathisch, lächelt der Sekretär in diesen Wahnsinn.

Selber genäht hab ich sie!"
Stumm hört sich das der Bezirksvorsteherstellvertreter an.

Die Tapeten des Zimmers sind schon grau. Der Schweiß steht auf seiner Stirn. Durch die geschlossenen Fenster tönt von fernher der Verkehr. Aus einer anderen Welt?
Die Luft ist stickig und abgestanden.
Der Geruch der Sozialfürsorgeempfänger. Ein eigener Geruch. Kein Duft der großen Welt.
Eine Aufgabe, die er nun erfüllen wird müssen, die Freude der Stadtverwaltung zum Ausdruck zu bringen ... Die Fotografin, die knipst.
Dem Ehepaar zum langjährigen Zusammenleben. Ein Ruck noch.
"Eine schöne Jacke haben Sie", sagt er und schaut sich ihre fleckige dreckige Jacke an.
Ein dreckiger Fetzen.
Aber Egilde hört nichts. Solche Komplimente muß sie ein paar Mal hören, um sie zu begreifen.
Es wäre eine andere Welt, die sie nicht kennt. Die Welt der Kaiserin.
"Eine schöne Jacke", sagt er noch einmal, in der Hoffnung, die Frau würde ihn verstehen.
"Selber genäht hat sie sie, selber genäht!" sagt der Blinde.
Man sieht sich wieder an.
Egon lehnt sich zurück und wartet.

Die Psychiatrie ist im dritten Stock. Das weiß sie. Sie war einmal da. Sie war bei der Psychiatrie. Man hat gesagt, sie soll einmal hingehen - bevor sie den Egon geheiratet hat.
Eine Erinnerung, die sie plötzlich hat.
War der Dicke und diese Frau da hinten mit dem Fotoapparat schon in der Psychiatrie?
Egilde muß reden, aber keiner versteht sie. Sagt sie einen Satz, so kann sie nur den einen sagen:
"Selber genäht, selber genäht."
Egon fällt ihr ins Wort und sagt dasselbe.
Es ist der einzige Satz einer gemeinsamen Verständigung, der in die Erinnerung reicht.
Aber davon weiß der Bezirksvorsteherstellvertreter nichts.

Auf einmal hört Egon Sätze. Jemand greift ihn an.
"Gratulieren wir Ihnen.."
"Im Namen des Bezirksamtes.."

Freundliche Sätze.
"Wir freuen uns, Ihnen zur goldenen Hochzeit". Diesen Satz hört er. Mehr nicht.
Egilde blökt.
Er nicht.
Alles saust und zittert.
Aus der Ferne hört er die Feuerwehr.
"Gratulieren zu dürfen!"
Jemand faßt ihn an.
"Zu Ihrem siebzigsten Geburtstag!" Ist er nicht vierzig?
"Ihre Verdienste um den Bezirk."
"Die rege Anteilnahme Ihrer Gemahlin am Tierschutzverein."
Jemand drückt ihn an die Wand und haucht seinen Atem in sein Gesicht. "Ihr rigoroses Eintreten für den Linksverkehr in England", sagt er. Egon, der an die Wand gedrückt wird, droht zu ersticken.
Egilde! Egilde!
Aber er hört seine Stimme nicht.
Siehst du was? Hörst du was?
Wer sind die denn?
"Gratulieren wir zu Ihrem individuellen Geschmack, zu ihren Möbeln", sagt plötzlich eine hohe, sich überschlagende, Stimme.
"Da!" sagt diese Stimme und plötzlich verspürt er einen leichten Schlag auf seinen Magen und dieser Jemand drückt ihm die TV-Fernbedienung in die Hand.
Ihm wird ganz angst und bange.
Sein Mund ist naß und sein Herz droht zu zerspringen.
"Und wünschen wir Ihnen viel Vergnügen für die kommenden Wettervorhersagen", schreit diese Stimme, so daß alles andere ganz still wird.
Nur die Feuerwehr hört man nochmal.
Jemand drückt ihm die Blumen in die Hand und er zittert.
Er macht in die Hose, alleine steht er, er hört die Leute gehen, der Mann ist weg. Alle sind weg.
Es ist still.

Thomas Losch, Autor in Wien.

die strafanstalt

es kommen hin u. wieder die polizisten herein. die hohen mauern sehe ich nur durch den innenhof. es kommt jeden tag 1 beamter in uniform, welcher die haltbarkeit der fenster prüft. er prüft sie mit lem eisenstab.

die kunstproduktion in der anstalt geht nur mit le portion bewußten lebensstiles voran. ich blättere in der ruhmlosen geschichte der strafanstaltu. entdecke die verlangsamung der geschwindigkeit. überdies fehlt den fingern, der rechte zeigefinger ist schon gichtig, die geschmeidigkeit und der nachdrcuk beim massieren.

der u-häftling
TITUS
ULITSCHNIG

ort: linz
zeit: 1982

text: nun sitze ich in d. zelle u. meditiere
meinen schmerz weg. er stammt von
ler ampulle 2oomg. das tut weh.

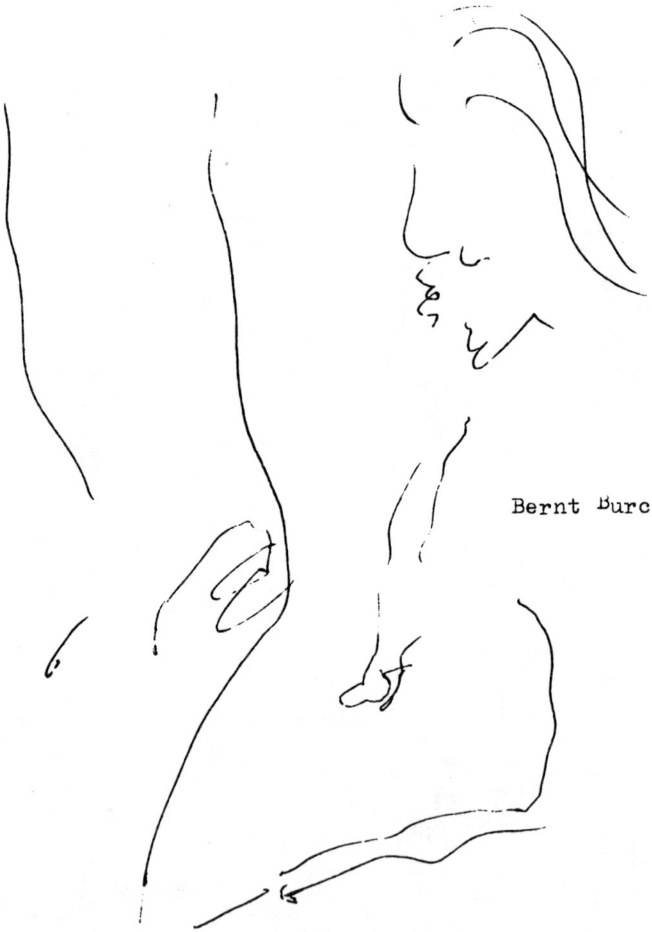

Bernt Burchhart

der: wie viel friedlichen VÄTER entkommen?

<u>rauch steigt auf</u>

wieviel(e)
wielange

gerade genug

ich rauche

wieviel(eU
wielange(schon)

lange genug

gerade rechtzeitig
(erkannt)

der staatsdiener

eigentlich ist meine geschichte eine der versäumten vergangenheiten gez. Bernt Burchhart

Kopie eines fotografportraits v. Thomas Bernhards: Der KULTERER suhrkamp taschenbuch

nach der lektüre des "KULTERER"

erinnere ich mich

an die haftbedingungen

thomas Bernhard beschreibt diese

ziemlich genau:

wo ist die grenze der freiheit und

von wo auswird sie bestimmt?

THOMAS BERNHARD

Elisabeth

Verwirrung, konzentriert gelagert

Von hier, wo Sie sitzen, in Luftlinie etwa 7 km entfernt, befindet sich das Psychiatrische Krankenhaus der Stadt Wien. Um diese Stunde (falls es sich um eine Abendveranstaltung handelt - sonst: "in wenigen Stunden" oder "um 20 Uhr") liegen fast in allen Pavillons fast alle Patienten in ihren Betten, in Schlafsälen mit offenen, unsauberen Klos, Bett neben Bett, so daß grade ein schmales Nachtkästchen dazwischengeht. Schnarchen, Stöhnen, stilles Weinen. Eine verzweifelte Schwingung hat die nächste, vielleicht völlig anders geartete, verzweifelte Schwingung hautnah auszuhalten.
Wenn Sie morgen Ihren Frühstückskaffee trinken, ist dort oben das Schlimmste schon vorbei. Das Wecken, das brutale Insbadgeschlepptwerden, von zwei Pflegern untergehakt schleifen bei manchen Greisen die Schienbeine auf dem Terrazzoboden, für das Abtrocknen von dreißig Menschen nach zu kalter Dusche in zu kaltem Raum stehen drei Leintücher zur Verfügung. Haarereißen ist nicht nur beim Frisieren an der Tagesordnung. Schläge. Im Altensaal türmt sich pestilenzisches Bettzeug. Rüstige Patienten haben es wegzuschaffen, in der Badewanne das Gröbste auszuspülen.
Wenn Sie morgen mittagessen, gehen die Menschen dort oben vom Minutenzählen aufs Sekundenzählen über: Wird Besuch kommen? Die Patienten, die dort oben keinen Besuch bekommen, sind vollkommen rechtlos, vollkommen hilflos, vollkommen ausgeliefert. Kein privates Fetzchen am Leib oder in der Hand. Anstaltskleidung. Das Private hängt in einem separaten Gebäude, dem "Depot". Das Depot wird zum Ort der Seligkeit an dem Tag, wo du entlassen wirst. Nachdem du vielleicht wochenlang niedergespritzt wurdest, tagelang mit deiner Scheiße im Gitterbett eingesperrt warst, keinerlei Auskünfte über deine Rechte bekamst, die Pfleger die Schläge solidarisch vertuschen.

Ich hob die grauhaarige Gestalt mit den geschwollenen Gelenken aus dem Vollgitterbett. "Silvia", sagte ich, "komm waschen!" Ich setze sie in ein Fußwaschbecken und pritschle sie mit dem Waschlappen ab. Haare, Gesicht, flacher Busen, Rücken; "das tut gut", sage ich. "Ja, das tut seeehr gut", sagt Silvia,

Mühe habend, ihre Schlenkergelenke unter Kontrolle zu kriegen. Die Schwester hinter mir hält inne: "Die hat noch nie was geredet." Ich schau Silvia ins Gesicht und sie mir ruhig in die Augen. Das tat weh wie ein tiefer Schnitt in die Magengrube. Die Dänin, die nicht Deutsch spricht, sitzt seit Tagen im Gitterbett, weil sie immer wieder Zigaretten klaut. Heimlich lassen wir sie durch die Maschen einige Male an unseren Zigaretten ziehen.
Ich schäme mich, bei den zuständigen Stellen nicht konsequent lästig genug geworden zu sein, daß als Mindestmaß an Menschenrecht in jedem Pavillon "die Rechte des Patienten" anzuschlagen sind, wie: Möglichkeit zu telefonieren, Briefe zu schreiben, einen Anwalt oder Vertrauten sprechen zu können, ohne unter Antriebskraft und Gedächtnis schwer mindernden Psychopharmaka zu stehen, Informationen über den Verbleib von Kleidern, Geld, Papieren zu erhalten und Auskunft darüber, wann ein Gespräch mit dem Arzt möglich ist. Feiertage, Dienstreisen, Urlaub, können dieses erste Gespräch zwei Wochen und länger hinauszögern. Zwei Wochen sind ein Jahr. Dort oben.
Ich jedoch kann mich dafür nicht einsetzen, ohne Gefahr zu laufen, mich dort wieder im Gitterbett zu finden - sei es auch eine paranoide Vorstellung.
Hier muß ich erwähnen, daß, wenn Sie sich aus irgendeinem Grund, der Ihnen leidbringender scheint als sich einsperren zu lassen (Türschnallen nur außen! Gitter, Gitter, Gitter!) f r e i w i l l i g in dieses Krankenhaus begeben, es geschehen kann, daß Ihr Aufenthalt von einem Augenblick zum andern in einen zwangsweisen verwandelt wird. Wie? Sie brauchen sich nur z.B. gegen eine Unmenschlichkeit gegen Sie selbst oder jemand anderen aufzulehnen. Schon heißt es, Sie wären renitent. Zwangsjacke.
Steinhof, am Stadtrand. Verwirrte Geister, konzentriert gelagert. Verwirrung konserviert, statt geheilt.
Im berühmten Jahr 1968 lag ich in der Psychiatrischen Universitätsklinik und wurde im Februar, März und April außer sonntags jeden Tag mit einem Insulin-Schock behandelt (eine Dosis Insulin, in den Oberschenkel injiziert, entzieht dem Körper so viel Zucker, daß der Patient ins Koma fällt. Schwitzend und glotzend, denn die Augen sind geöffnet, bleibt er in diesem Zustand, dem einst Heilung zugeschrieben wurde, eine halbe Stunde belassen. Dann wird er mit einer Zuckerspritze zurückgeholt.) Davor oder danach oder auch zusätzlich wurde ich mit etwa 25 E-Schocks behandelt.
Ich hatte das Schreiben nahezu verlernt (sowohl das Buchstabenmalen als auch das Rechtschreiben) und ich hatte Gedächtnislücken, die Jahre brauchten, sich zu füllen. Was sonst im 68er-Jahr geschah, erfuhr ich 1975.
Der Akt meiner Rehabilitation sowie die dicke Krankengeschichte ist (mit

meinem Einverständnis) Vortragsstoff. Mit der Hilfe einiger weniger Menschen steh ich wieder auf eigenen Beinen; bei ihnen trau ich mich auch mal übermütig zu sein, was Ausgeflipptes zu sagen, von meinen Phantasien zu erzählen. Sonst hab ich mich sehr in der Hand.
Über zehn Jahre meines Lebens spreche ich nicht.
Aus diesem Grund bitte ich um Ihr Verständnis, hier nicht persönlich erschienen zu sein.

(Gelesen hat Judith.)

Ute Gross,

geboren 1968.
"literatur und kunst sind mittel, neue, irreale welten zu entdecken, grenzen zu durchbrechen und ängsten zu entkommen!"

Psychiatrie

erstickungsgefahr

kurze gespräche
heftiges lachen
ein munteres treiben
- alles fassade -
schwungvoller abschied
die tür fällt ins schloß
draußen an die mauer
lehnen
tränen abwischend
die einsamkeit empfangen
hinaus bei der haustür
ein freundliches gesicht
aufsetzen
planlos durch die
straßen irren
- wieder allein -
niemand zum reden
selbstgespräche führend
nach hause gehen
- stille -
radio einschalten
bleibt wirkungslos
worte rinnen vorbei
und bleiben
im raum hängen
im kopf toben gedanken
und bleiben unausgesprochen

warmes bier
dazu beruhigungstabletten
schlafen
für kurze zeit
tot
erwachen mit einem
druck im kopf
das nächste bier
wieder tabletten
süchtig
und machtlos
und unzufrieden
dennoch immer wieder
haltlos
dir selbst überlassen
und wieder für
kurze zeit tot
was heißt leben?

aggressionen
gegen das leben
sich steigernd
gleich dem druck
in einem dampfkochtopf
ab und zu dampf
ablassen
anschließend leere
bestenfalls traurigkeit
hilf dir selbst...
in diesem geistigen vakuum
gibt es kein helfen
müdigkeit bis zum exzess
einzige befreiung
der tod
wird nicht akzeptiert
aufoktroyierte gesellschaftsformen
du mußt dich
schon wieder übergeben...

psychiatrie

gitter
gitterbetten
gitter
menschen
menschen?
fliegende eile
desinfizierende sauberkeit
weiße geschäftigkeit
keuchend gellende schreie
nutzlose aggression
- die gitter bleiben -
und jeder tag
ein weiteres stück
sinnlosigkeit und furcht

meine gedanken
fliegen über grenzen
lassen sich nicht einsperren
auch nicht von euch
ihr WEISSBEKITTELTEN GÖTTER
verschlossene türen
und vergitterte fenster
tun meiner freiheit
keinen abbruch
meine ideen
könnt ihr nicht
zerstören
meine persönlichkeit
ist stabil
auch eure drogen
können mich nicht vernichten
mein geist ist immun
dagegen
eure HERRSCHAFT
kann mir nichts anhaben

LEBEN
FREIHEIT
die antwort:
ein medikament
ein einlullen
der seele
der geist
wird leer
das ICH
verschwindet
übrigbleibt
ein beipackzettel
irgendwelcher tabletten

VIELLEICHT
DIE ZUKUNFT
ALS FRAGEZEICHEN
VIELLEICHT
MORGEN?
FRAGLICH!
IN EINEM MONAT?
UNABSEHBAR!
IN EINEM JAHR?
GANZ ZU SCHWEIGEN!
VIELLEICHT
ODER ABER
VIELLEICHT...

Ingram Hartinger

In der Krankheitsfabrik

für Christiane Wulz

"Tausende von Füßen rennen.
Tausende von Leuten eilen.
Tausende von Augen suchen gierig die Gebäude rundum ab.
Tausende von Nasen ziehen erwartungsvoll
die Luft ein in dem Bestreben, Brandgeruch zu erhaschen.
Aber der Alarm erweist sich als Fehlalarm ..."
(Sergej Eisenstein, Yo - Ich selbst. Memoiren)

1. Das Stimmengewirr

So erscheint in unseren Tagen der Mensch abgeschafft und die Vernichtung erwartend. Beunruhigt durch den Mißklang zwischen den Denkformen der Menschheitsgeschichte und der menschlichen Erfahrung. Wir sind mitten in der Klinik, wir haben noch einmal angefangen zu übertreiben. Wir sitzen schweigend da, verlassen und verzweifelt. Während wir zu sprechen beginnen, beugen wir uns vor, sitzen gekrümmt da, die Knie zusammengepreßt, nach innen gekehrte Füße. Wir haben zu uns selbst gesprochen, um der Angst zu entkommen. Wir haben Wörter erfunden, die waren kleine Waffen. Waren also keine Waffen. Wir haben weitergeredet und hörten das Echo. Mitten im terminalen Stadium. Hier wird Schweigen als Sprache gesprochen. Das, was wir Sprechmaschine nennen, eine Stimme, die lediglich von sich selbst spricht, ist ganz anders. Wir sprechen zu uns und finden plötzlich soviel Unbekanntes. So haben wir uns wieder verwandeln können und sind durch die Krusten hindurch gekommen. Langsame, ausgeprägte, runde von den Schultern ausgehende Bewegungen ziehen sich unwillkürlich durch unseren ganzen Körper, vom Kopf bis zu den Zehen, Kontrapunkte. Kontrapunktisch zu diesen, den ganzen Körper erfassenden Wellen zucken und flattern immer wieder unsere Handgelenke und Finger. Das kommt und geht. Plötzlich kommt es und geht nicht mehr. Das Ende der Sekundenschnelle. Etwas hat sich eingeschlichen. Ist es unser Sprechen, das so ist, fragen wir uns, fragt es sich. Wir stehen vor dem Eingang, zögern.

Auf tausend Meter Höhe kommen zweitausend Meter Unterlagen zur Schulung für Maschinenvertreter. Es erscheint uns ziemlich aussichtslos. Es fragt sich und fragt sich, i s t jenes Gemetzel überhaupt oder ist es nicht. Dann treten wir ein.
Wiederholte Male treten wir ein. Daraufhin können wir alles feststellen. Wir beschließen, uns zu erinnern. Dann gehen wir noch weiter. Plötzlich zwei Menschen. Da ist noch jemand, da ist auch die andere Person. Da ist etwas, das wir zu uns selbst sagen wollen. Wir horchen. Brennen darauf, uns selbst zu hören. Und zwei Menschen brennen darauf, etwas zu sagen. Vielleicht existieren wir beide gar nicht. Wieso, fragen wir uns, gibt es das, wo wir doch immer auch etwas anderes ausgedrückt haben. Wir versuchen die ganze Zeit über die Aufmerksamkeit auf uns zu lenken. Hunger nach der Aufhebung. Dauerndes Echohören und Rauschen. Tränen in den Augen, im See schwimmend als kleines weißes Federchen. Da alles doch so schrecklich ist, sind wir erstarrt vor Entsetzen. Das Gewicht eines Haares auf der einen Waagschale - auf der anderen der Wunsch nach Eingriff, die tatsächlich erfolgten Eingriffe, einige Klötze, einige Maschinen usw. Und tatsächlich hält es sich in der Waage. Hunger nach der Aufhebung. Wenig Bewußtsein von diesem Vor- und Zurückgehen. Wenig Hunger.

Offen für den Zugriff der Gewalt. Die von der Klinik hergestellten Gliederpuppen bewegen sich in langsamen Schritten dem Gebäude zu. Von dort heraus der Hauch der Norm. Eine Flügeltür, ein Jodgeruch, ein Schatten und ein Schatten des Traumes, der es fertig bringt, noch einmal - ein letztes Mal - zu sein. Dann fahren die Wagen herein. Dann fahren sie wieder hinaus. Ein flüchtiger Blick auf den Rhythmus genügt. Wir dürfen hier nichts wollen. Es ist laut. Also: Keine Fragen, keine wirklich klärenden oder beruhigenden Antworten im Augenblick des Krankseins. Zahlt man mehr, gibt es abgemildert ein "fair play" unter Gleichrangigen, Wechsel des Mienenspiels, nicht mehr.

Unterdessen sind wir an einer Station angelangt. Wir erinnern uns an das Draußen. Für die Nacht hier gibt es kein Wort. Der See ist in weiter Entfernung. Zwei Personen legen jetzt ihre Füße auf das Weiß, zwei Menschen ziehen ihre Unterwäsche aus und stehen nackt vor den anderen Menschen, zwei sind nun doch noch einmal durch die Gänge gelaufen und haben es laut verkündet. Zwei sind zu wenig. Tatsächlich aber genügen sich die beiden und sind auffallend widersprüchlich. Dauernd hören sie das Verschiedene. Ständig müssen sie das Gehörorgan verriegeln. Das war schon immer so. Lange vor dem Wort, von dem wir später hörten. Es sind mehrere Menschen hier und es sind zuviele. Wir verkümmern unter dem Dach und seit einigen Stunden ist das Bett naß. Es beginnt zu eskalieren. Schon jetzt, frage ich dich. Es ist nicht zu früh, sagst du. Wir sind froh, keine Übereinstimmung erzielt zu haben. Aus mehreren Gründen wollen wir eine Synthese haben. Vor uns steht das Gebäude und wir können jederzeit darüber nachdenken. Wir können jederzeit, hallt es hinein. Nein, wir sind noch immer nicht "eingeliefert worden". Wir sitzen hier und machen Literatur.

Dies aus mehreren anderen Gründen. Die Literatur ist Krankheit und Gesundheit, sehe ich mich eben schreiben. Wir beide gehören doch zusammen, frage ich sie oder ihn. Dann nahmen wir ein Taxi und brachten es zum Höhepunkt. Gleichzeitig - und das steht schon lange fest - wurden wir doch "eingeliefert" und haben bereits mehrere Nächte hier verbracht. Überall das Toben, die innere Tobsucht. Aus den Nachbarbetten die Sätze, die nur aus Nachbarbetten kommen können. In dieses Bett herein. Der kranke oder gesunde Literat - in welchem Stadium befindet er sich, muß gefragt werden. Ist es das terminale oder jenes vor dem Wort, von dem wir noch später hören werden, muß gefragt werden.

Manche Stimmen sagten zu Gregorio Condori, dem Lastenträger, nimm sie mit, armes Wesen, im Leichenschauhaus, nimm sie mit! Andere wieder sagten, mach zuerst dies, mach jenes. Da mischte sich der Totengräber ein und sagte: sie ist arm, werft sie ins Gemeinschaftsgrab. So ist das Leben, vertrackt, sagtest du in Sicuani, Tinta, Ocongate, vertrackt, dort Füchse und Pumas. Dann hast du die Frau mitgenommen und sie auf dem Hochland eingegraben. Verdammt, immer wieder Avantgardistisches, auf den Hund gekommen. Bitter geflüsterte Zwiesprache mit der Verwesung. Oder gar grell momorierte Lache. Weil wir das nicht tun, was wir tun möchten, weil man nicht den Mut hat oder die Gelegenheit. Und das mit Condori und den peruanischen Verhältnissen ist sowieso k e i n e andere Geschichte. Ist das gleiche Resultat. Manchmal sind wir vor dem Krankenhaus stehengeblieben und haben den diversen laut oder leise gesprochenen Sätzen zugehört. Das war morgens. Daß es ein Leben im Galopp sei, ohne umzuschauen, mit ständigem Umsteigen, den Blick unentwegt auf den Sekundenzeiger geheftet, rechtzeitig hierhin kommen und auch schleunigst dahin, von hier wieder wegkommen. Oder wenn da einer seine Haut habe retten wollen, oder was davon noch übrig geblieben war, dann sei ihm nur noch die Flucht geblieben.

Wir stehen davor und blicken in das Areal. Die Stimmen haben aufgehört.

2. Wucherungen

Ab jetzt etwas anderes. Die Krankheit. Es ist ein hohles Sprechen, das muß ausgefüllt werden. Die Ausgrabungen, das Schürfen jenes hohlen Sprechens. Könnte es wenigstens sprechen, rufen wir aus. Die zwei Personen sind plötzlich zu einer geworden. Schrumpfungen. Tatsächlich hat einer von uns jetzt die Bühne verlassen. Einer ist übrig geblieben, doch kann er jetzt nichts mehr verstehen. Weder versteht er das Verschwinden des einen oder jeweils Einzelnen, noch begreift er die Worte der Krankheit. Welche Krankheit, fragt er sich, eine tödliche oder was. Es geht dem Operationssaal zu. Die gleißenden Lichter sind längst schon eingeschaltet, der Sauerstoff wurde kontrolliert und eben ist der Anästhesist eingetroffen. Es kann begonnen werden. Es ist neun Uhr früh. Ein Tumor im Gehirn, da vorne, zwischen den Augen. Er zeigt es mir und ich erinner mich wieder. Ich muß erinnert werden, muß in mir Situationen wachrufen, muß umherstreunen in meinem Gehirn bis ich auf die Tür stoße. Und so stieß er die Tür auf und trat in das Foto ein.

Und sie, die Italienerin, sieht es so:
"Es ist diese Geschäftslogik, welche das Krankenhaus als eine BEHANDLUNGS-FABRIK hervorbringt, in der man Heilung und Tod produziert. Die Heilung jedoch, die sie erzeugt, ist vermittelt durch den Konsens über die Werte und die Rationalisierung, die in dieser Anstalt verankert sind, so daß die Behandlungs-Fabrik zugleich eine KONSENS-FABRIK ist: Sie stellt einen Konsens her, der - Zeichen der Enteignung der Fähigkeiten des Menschen, die Wirklichkeit seines Körpers zu kontrollieren - selbst zur Krankheitsursache wird. Zudem bedingt die Behandlungs-Fabrik - so wie in der Ökonomie die Vergrößerung des Marktes für die produzierten Waren - die Erweiterung und Auffächerung der Krankheit als Gegenstand der Ausübung der Therapie. So haben das Wirtschaftlichkeits-Prinzip, die absolute Unterscheidung von Gesundheit und Krankheit und die Zustimmung, der Konsens, auf dem sie aufruht, zur Folge, daß die Organisation der medizinischen Versorgung auch zur KRANKHEITS-FABRIK wird. Diese drei Elemente bezeichnen den Kernpunkt der gegenwärtigen Krise der Medizin und des Gesundheitswesens, die, Gefangene einer Logik, nach der immer mehr Ware produziert und konsumiert werden muß, die Krankheit produktiv und den Kranken zur Ware gemacht haben" (Franca Ongaro-Basaglia).

Als er in den ursprünglichen Raum zurückgeschoben wird, war er noch betäubt, später wie betrunken, aber noch vorhanden. Vorbei an den automatischen Türen der Intensivstation. Jetzt der Lift. Vor einigen Wochen der Befund. Jetzt der Raum. Eine neue Todesangst. Oder immer noch die alte. Die Person allein mit ihrer Furcht vor der Krankheit, welche die Gestalt eines Menschen angenommen hat oder die zur Redeweise geworden ist. Zustand der Entmündigung und der gleichzeitigen Selbstentmündigung, Köpfe, Seelen und Körper dem Zugriff der Gewalt, der Manipulation und der Herrschaft öffnend. Jetzt, so vernimmt er deutlich, muß alles klar sein, einhellig, widerspruchslos, Abschaffung der Gegensätze, hört er, entweder es ist Krankheit oder nicht. Da es aber bestimmt Krankheit ist und wir nach so vielen Jahren schon ziemlich verwirrt und irre gemacht worden sind, können wir momentan nicht weiter sehen. Wir ziehen uns wieder in die Literatur zurück. Von dort aus betrachten wir den Raum und die entfernteren Umstände. Der Kranke, der noch immer nicht entlassen werden kann. Er sei ein Schriftsteller gewesen. Er habe einen Tumor hinter einer Zyste versteckt gehabt. Er selbst habe ein Buch in seinem Krankenbett geschrieben, Schatten ins Diktiergerät, 7.Dezember 1978, da seien die Würfel gefallen und die Histologen hätten das Verdikt gesprochen, der Lappen muß weg, radikal, habe der Professor gesagt, er habe seine Aufzeichnungen etwa um ein Jahr überlebt, usw., oder ist es vielleicht nicht normal, daß es auch andere Schriftsteller trifft, fragt er sich. Kein Entlassungstermin. Da mache ich lieber selbst Schluß, denken einige Personen innerhalb und außerhalb der Literatur. Einerseits ist das Volumen angestiegen, andererseits werden nunmehr die benachbarten Organe bedroht und in ihrer Funktion beeinträchtigt. Jahre nach dem Initialstadium, mitten im Stadium der Progredienz. Die anfängliche Hoffnung auf Heilung ist verschwunden. Erst jetzt das Mißtrauen in die bisher angewandten Behandlungsmethoden. Ich möchte die Wahrheit wissen, sagt er nun immer öfter.

Und die Abhängigkeit zur Allmachtsfigur nimmt zu.

Es ist e i n Machtzentrum, eines von mehreren. Kulturelle Werbetafeln der herrschenden, der führenden Schicht. Neben der Todesangst die Gefühle der Machtlosigkeit und der Resignation. Medizin, Quelle sowohl von Herrschaftswissen als auch von Verfügungsgewalt und Verfügungstechnik. Sich hierin als einen Widerspruch zu bekennen, bedeutet soviel wie buchstäblich sich an des Messers Schneide heranzuwagen. Ein Chirurg steht bereit und wird die Anpassungsverweigerung und damit das offene Problem zum Schweigen bringen. Nein, er ist kein Bösewicht, er ist nicht einmal der Feind. Doch steht er an der Spitze. Von dort kann er nicht mehr sehen. Er wird nicht sehen, daß wenn der Wert der Mensch ist, so die Gesundheit nicht die Norm sein kann, da es in der Natur des Menschen liegt, gesund und zugleich krank zu sein. Er kann mit niemandem zusammen sein. Dort steht er und ergreift eine lange Zigarre.

Jetzt kommt er und geht durch die Krankenzimmer. Alle, die ihm folgen, sind diesmal schwarz angezogen. Vor jedem Bett flackert eine Kerze. Der Besuch fällt kurz aus. Angst, Empörung, Wut hinausschrei(b)en oder die Spaltung, den Bruch, die Ohnmacht beklagen - jetzt wäre vielleicht ein Zeitpunkt. Der Dozent blickt in das Gesicht dieses einen Menschen. Dann erteilt er ihm das Wort. Aber es ist eine Krankheit, die "behandelt" wird, damit sie nicht sagt, woher sie kommt.

Da und dort mag sich aus diesem verworrenen Geflecht der Bedürfnisse aus dem konkreten Elend der unteren Klassen und aus der Verelendung des Individuums der behüteten Klasse eine Stimme erheben. Sie klagt an, doch wird sie durch die Art der Krankheitsdefinition eines anderen belehrt. Sie wehrt sich und spricht weiter. Es werden plötzlich auch Stimmen von draußen laut und dringen herein. Und ganz spontan schießen all diese Not und Verzweiflung zu Fragen zusammen. Die wollen beantwortet werden. Die Beantwortung wäre in diesem Augenblick vielleicht noch relativ einfach, weil die menschliche Hoffnung sie noch zu einer einzigen ungeteilten Frage zusammenbindet. Aber eben d i e s e Frage bleibt ohne Antwort. In einer knappen halben Stunde hat er fünfzig Menschen gesehen. Jetzt steht er wieder im Gang und greift zum wiederholten Mal zu seiner Zigarre.

"Die Rationalität der Macht verhindert die Beantwortung, indem sie der Frage die Sprache der Krankheit aufzwingt, die aus ihr etwas macht, was sie nicht ist, und die, wenn sie sich nicht in organisierten Formen und zweckgerichtet mitzuteilen vermag, leicht in unabwägbaren Verhaltensweisen mündet, die ein Signal der Unerträglichkeit erlebten Leidens und seines 'Verstummens'sind" (Franca Ongaro-Basaglia).

Nun bin ich also vielleicht gestorben, oder - dann bin ich also doch gestorben. Trotz Kritik an den Verhältnissen und vielleicht gerade deshalb. Das Leben habe ich nicht mehr halten können. Ein Chirurg hat mir den letzten Rest gegeben, vielmehr genommen. Jetzt schlüpfe ich in die Totenmaske. Ich werde nicht mehr erwachen, ich wage es nicht. Doch werde ich es wiederholen. Dort kämpft der maskierte Dirigent des OP, mit sterilem Zeug bis zu jenen Zähnen bewaffnet, durch die er seine kurzen und brüsken Kommandos ausstößt. Bild vom aseptischen Gehorsam und der kompetenten Strenge. Hier wird zum ersten Mal/zum letzten Mal das Wort über die Krankheit gesprochen, Sprache der Anatomie, reinste Objektform und das Verschweigen des ganzen Skandals. Aber ich, wie gesagt, schon jene Totenmaske aufgesetzt habend, durch deren Löcher ich jetzt hindurchsehe, jetzt, da mich niemand mehr beobachten kann und wo ich es sagen kann, wiederholend, immer wieder fragend, was sagt mir die Krankheit - und will ich es wirklich wissen.

Und auch das literarische Wort frißt um sich wie ein Krebs, sich ausbreitender Krebs der Krankheits-Metapher, wuchernd in den gesellschaftlichen Raum hinein, bei flackernden Kerzen und hellaufzischendem Schwarz. Es ist das Überfallenwerden in der Literatur wie beim 'realen' Krebs, ein Hineingerissen-Werden in die verschiedenen Stadien, und schließlich hinein ins Schrumpfen und Verwelken. All das erzählt in einer besonders geschmeidigen Sprache der Verzweiflung. Es ist Mittag. Niemand will es entmystifizieren. Niemand will der Krankheit ihre von der Macht geschriebenen Geschichten nehmen, all die Erzählungen und Wortkombinationen, niemand will ihr die Wortmaske vom Gesicht reißen. Es ist Abend. Sie kommen und bringen das Essen. Während du schon tot bist, liest du, daß das Leben nicht das Werkzeug des Todes sei. Daß das Leben von jeher versucht habe, sich breiter zu manifestieren. Außerdem sei es nicht der Tod, wovor sich der Mensch fürchte, sondern der Gedanke, daß er aufhören könnte zu sein. Erst wenn wir aufgeben, so versuche ich noch einmal zu entziffern, übernimmt der Tod die Macht. Der Tod sei nicht das Ende des Lebens, geschweige denn sein Ziel. Er sei nur ein weiterer Aspekt des Lebens. Es gäbe nichts als Leben, liest er, selbst unter den Toten. Aber du kannst nichts essen. Das Skelett eines Widder-Kopfes. Du siehst den altmodischen Elektrokocher, daneben das Brot, und neben dem Brot die Pistole, das Papier auf der Lade und über allem eine rote Wolke.

Schluß jetzt. Die Dinge stehen anders. Inmitten dieses universalen Krebses, der Traurigkeit und der Tränen unheilbaren Kummers dieser Baum da, allein in seiner Kraft, grün und stoisch. Denn auch Wertetafeln sind bloß zu Stein gewordene Träume. Und Stein kann brechen, Tränen können bewegt und beweglich gemacht werden. Inzwischen sind es wieder zwei Personen oder mehrere. Es hat eine Metamorphose stattgefunden. Der Mensch ist ein anderer geworden. Es haben sich die Stimmen erhoben gegen die eine, die lediglich von sich selbst spricht. Und so ist es: Wenn man im Leben nicht ZUSAMMEN ist, dann ist man auch angesichts des Todes nicht ZUSAMMEN. Jetzt sind wir wieder viele und mit Zorn sehen wir hinüber.

3. Dort drüben im zweiten Stock (Um zu sagen Pathologisches Institut)

Dies und nun nach dem Leben. Wir haben uns vorgenommen weiterzugehen. Wir begleiten, wir sehen. Ein regloser Körper wird auf den Wagen gezerrt und zugedeckt. In dieser Nacht oder an diesem Tag, Verdammte dieser alltäglichen Nacht, gestorben. Die anderen telefonieren, sie kommen. Sie lesen einen Namen. Aber, in diesem Moment, hört man einen erstickten Schrei in jenem kleinen Theatersaal. In dem sich bisweilen nichts verändert zu haben scheint. Eine der jungen Damen, die bei diesem Theater assistieren, bleibt wie paralysiert stehen, ganz entgegen ihrer Gewohnheit und verliert plötzlich das Bewußtsein. Ohne daß sich ihre Begleiter um sie kümmern, sinkt sie zurück, den Kopf zur Seite hängend, die Augen geschlossen, die Lippen nicht zusammengefügt. Nein, weil alles als eine Geschichte zu lesen ist, werden wir diesmal darauf verzichten. Jetzt spricht einen Moment lang das Schweigen, da die Probleme der Menschen längst schon verhallt sind. Geben wir der nun kommenden Fahrt keine allzu große Bedeutung. Es folgt die Fahrt des Körpers durch die unterirdischen Gänge. Verzichten wir auf die Assoziation Fahrt durch die 'Unterwelt' in der griechisch-mythologischen Rede. Tun wir so, als könnten wir mehrere Augenblicke oder eine etwas längere Wegstrecke für einen anderen Denkvorgang verwenden. Gehen wir in eine andere Richtung. Sagen wir nicht, daß auch vermutlich dort zugesperrt sein wird. Oder nehmen wir uns z.B. ein anderes Leben vor. Die Fahrt mit dem Körper durch die weitaus längeren Gänge des anderen Lebens. Vielleicht hätten wir uns dabei nicht aufzubäumen brauchen. Könnten liegen bleiben und warten.

Würden den günstigsten Moment abwarten. Dann von der Bahre springen und die Augen öffnen. Bereits vorgekommen. Es sei nicht auszuschließen. Da, jene Fenster mit den großen getönten Scheiben. Wir sehen sie von außen obwohl wir drinnen sind. Der zwanzig Meter lange Raum, unterteilt durch Tische, es waren früher vielleicht Steintische. Schau, wie es heute aussieht. Nicht mehr Steintische. Unter dem Vorwand der neuen Tische. Der Klimaanlage, usw., lest doch die diesjährigen Forschungsberichte. Nicht unruhig werden. Wir sind nicht da. Noch immer sind wir in den unterirdischen Gängen der Medizin. Nicht aufregen. Sagen wir nicht MEDIZIN.
Dafür gibt es andere Namen. Auch hat die Stadt dafür einen anderen Ort. Es ist unklar jetzt. Nach rückwärts betrachtet, wird uns dies einmal ganz anders vorkommen. Aber auch dann würden wir immer noch von den Verhältnissen schreiben. Jetzt sind wir noch immer da. Seht, wie wir dahingeschoben werden.

Hört das nervtötende Surren des Elektroautos, welches den Transport, den unweigerlich eigenschaftslosen, stillschweigenden ..., also seht den Transport dieser restlosen Situation. Vor den Ausgrabungen stehend, vor den Seiten sitzend, dies ansehend oder sich vorstellend, was einmal war, wird uns die lange Not in diesen Gängen völlig fremd vorkommen. Gut, daß wir uns verirrt haben, werden wir denken. Gut, daß wir manchmal auch noch vorwärts irrten. Eben dachten wir an eine andere Richtung.

An dieser Stelle sollte der Schriftsteller gleichsam die Vivisektion jener sezierenden, am Körper manipulierenden Personen betreiben. Er sollte sich einen Moment lang selbst dort liegen sehen, um in die obskuren Augen der Zerschneider und Interpreten zu blicken. Vielleicht würde er sich fragen, was sieht ein Auge, wenn es - selbst blind - ein anderes zerschneidet, dann an dieser Stelle gleich weiterfragen, hinter das Auge schauen, sogar hinter ein totes, zerteiltes Auge noch - oder ist es dann bereits unmöglich und metaphysisch. Und sollte er dem Auge des Pathologen tatsächlich begegnen, jenem im Besitz der Gesellschafts-Macht sich befindlichen Auge, würde er, der Schriftsteller, es eine unbestimmte Zeit lang ansehen und es dort sein lassen, wo es ist, es dort liegen lassen, das äußerste Auge des Pathologen, welches das Innen zudeckt, um mit sich selbst zu sprechen, wie es auch der Schriftsteller am Anfang und am Ende zu tun pflegt.

Dann käme der Moment, da das Messer die Bauchdecke durchtrennt. Und nun haben wir den Beweis, sagt der Mann, und näht wieder zu. Ein bösartiges Carcinom, ein ganz besonderes, es habe nicht anders entdeckt werden können. Doch hier sollte der Schreibende endlich Einwände machen, sollte sich eventuell aufbäumen, einen Schrei loslassen. Aber es geschieht nicht, der Schrei kommt nicht, auch hat so ein Sezieren jener weißgeschürzten Personen am lebendigen Leib durch andere Menschen noch nie stattgefunden.

Als ob die Literatur in diesem Moment zu reden hätte. Zu tief ist das Messer schon eingedrungen, und die Macht ist immer noch an denselben Stellen an der Macht, manchesmal auch überall. Aus einem allzu fiktiven Text sind bloß die Worte der Angst und der Dummheit herauszulesen - überdies, Worte reinster Erscheinungen. Darin sich trotzdem alles widerzuspiegeln vermag, und so erkennen wir in diesem Gebäude, manchesmal auch überall, die Veranstaltungen gegen den Tod, immer umfassender werdend in der perfekten Tarnung des Leides, ein optisches Verschwindenbringen hinter den Apparat.

Das Auge des Schriftstellers sucht vergeblich nach seinem 'eigenen' Auge. Denn viele hören lieber, als daß sie sehen. Wir treiben derart Polemiken voran, machen Kriegserklärungen oder führen tatsächlich Krieg auf dem Niveau der Bezeichnungen, der Geschichte(n) von Krankheit und ihrer kulturellen Interpretation, doch die Angst bleibt. Wird sich die Krankheit durch solches geschlagen geben, fragen wir uns, und läßt sie sich etwa durch semiologische List bekämpfen: Es sei, lese ich, die gesündeste Weise, krank zu sein, oder die ehrlichste Form, sich mit der Krankheit auseinanderzusetzen, wenn man sich vom metaphorischen Denken, welches die Krankheiten nach sich ziehe, löse, ihm größtmöglichen Widerstand entgegensetze, um jene Wortgebäude und Sinngefüge, also Bedeutungen, die wir der Krankheit geben, moralische nämlich und damit Straf- und Schuldgefühle hervorrufend, zum Einstürzen zu bringen. Und es liest sich wie ein Trick, ein hinterlistig-philosophischer, doch was bleibt, ist immer noch die Angst, eine, die aus der Feder hervorrinnt und nicht trocknet. Mein Schatten ist größer geworden. Ich lese nicht mehr und es ist bereits Nacht. Immer wieder die gleiche Nacht.
Daß eine kleine Flamme des Zornes übrigbleibt, ein Rest an Resistenzkraft, weiß ich, doch erhoffe ich nichts. Ich erinnere mich noch einmal an Gregorio Condori und an die Frau des Lastenträgers aus Peru, sie und ich, jene zwei Personen, die durch das Krankenhaus gingen, Puma und Fuchs, es ist die gleiche Aufgabe, Zähne zeigen, Befreiung von den Fesseln, aber nur Schriftsteller zu sein, ist in unserer Zeit nicht möglich.

Ingram Hartinger, Studium der Philosophie, Psychologie und Medizin. Hält sich seit 1972 in Gesunden-/Krankenhäusern auf, d.h. er lebt/lebt-nicht und arbeitet dort. So z.B. Landesnervenklinik Salzburg, Psychiatrisches Provinzspital Triest (dessen Auflösung er in einem zweijährigen Aufenthalt miterlebt hat), zuletzt seit sechs Jahren Landeskrankenhaus Klagenfurt. Neben allen kritischen Menschen verehrt er besonders Igor A. Caruso und Franco Basaglia - Lehrer, die ihm zeigten, in der Praxis die Theorie und in der Wissenschaft das soziale Engagement zu finden.

Yolanda

"In einer Demokratie sollte die Vollmacht des Staates, Gesetze zu erlassen, sie durchzusetzen und für allgemeine Gerechtigkeit zu sorgen, von den Staatsbürgern selbst ausgehen."

"Die Freiheitsrechte des Staatsbürgers beruhen auf dem Grundsatz, daß das Zeugnis vom Hörensagen, also aus dritter Hand, nicht in öffentliche Entscheidungen eingehen soll. Nur was Menschen mit eigenen Augen sehen und deuten, gilt allgemein als Grundlage verbindlicher Gesetze. Meinungen, Überzeugungen, Schlußfolgerungen oder Bekenntnisse können niemals dem Augenzeugenbericht standhalten."

"In der Gesetzgebung wie im Gerichtssaal ist der Grundsatz, der das Zeugnis vom Hörensagen ausschließt, heute de facto suspendiert - zugunsten der von Angehörigen dieser selbstberufenen Eliten vorgetragenen Meinungen und Überzeugungen."

"Der heute dominierende Experte bietet dem Gericht oder dem Gesetzgeber nicht faktische Beweise oder Fachkenntnisse, sondern lediglich die Meinung seiner Expertenkollegen. Damit suspendiert er den Grundsatz, der das Zeugnis vom Hörensagen verbietet und untergräbt damit die Grundlagen des Rechts. Dies aber läuft unvermeidlich auf eine Beseitigung der demokratischen Gewaltenteilung hinaus.

(Ivan Illich)

Auszüge aus einem nervenfachärztlichen Schriftstück des Dr.Heinz Guss Facharzt für Neurologie und Psychiatrie, Klosterneuburg, vom 28.8.1985

Aus dem Aktenmaterial:

Amtsärztliches Parere, Yolanda Reiter (Name geändert) wird zur Beobachtung ihres Geisteszustandes an das Niederösterreichische Landeskrankenhaus für Psychiatrie und Neurologie in Klosterneuburg eingewiesen. Begründung: Mit Beschluß des Bezirksgerichtes Gänserndorf wurde das Kind Roman Reiter (Name geändert), geboren ...1971, in das Heilpädagogische Beobachtungsinstitut Hinterbrühl überstellt, da ein gravierender Erziehungsnotstand vorlag und das erkennende Gericht an der geistigen Gesundheit der Kindesmutter zweifelte, wurde die Einweisung über Antrag verfügt.
(...)

Aktenvermerk, 11.1.1983: Auf telefonische Anfrage gibt Dr.Josef Barelli, Facharzt für Kinderheilkunde in Gänserndorf bekannt: Der Minderjährige Roman Reiter und auch seine Eltern seien ihm seit längerer Zeit aus der Praxis bekannt, er müßte nach allen Eindrücken, die er in vielen Gesprächen mit den Beteiligten gewonnen habe, sagen, daß die Atmosphäre im Hause der Yolanda Reiter nur als abnormal bezeichnet werden könne, denn Yolanda Reiter lehnt nicht nur die Schulmedizin global ab, sondern vertritt auch noch die Ansicht, daß die staatliche Schule einen schlechten Einfluß auf Kinder ausübe und daher auch für ihren Sohn schädlich sei.

Dr. Zrzawy, Landesschulpsychologe des Amtes der Niederösterreichischen Landesregierung gibt ebenfalls über telefonische Anfrage an: Der Fall Reiter sei ihm bereits seit etwa sechs Jahren, nämlich seit jenem Zeitpunkt bekannt, als der Minderjährige Roman Reiter schulpflichtig wurde. Das Kind sei recht intelligent und ein aufgeweckter Bub, der jedoch in einer abartigen Isolierung im Hause der Kindesmutter gehalten werde. Er habe schon vor längerer Zeit der Kindesmutter zu erklären versucht, daß der Schulunterricht nicht nur der geistigen Bildung eines Kindes, sondern auch seiner gesellschaftlichen Integrierung diene, doch habe die Kindesmutter sich all seinen Argumenten gegenüber verschlossen. Was er, Dr. Zrzawy schon seit längerem vorausgesehen habe, sei nun in der Tat auch eingetreten, nämlich, daß eine Fortführung des häuslichen Unterrichtes in der Hauptschulstufe ohne dauernden Schaden für das Kind nicht möglich sei. Es sei im Gegenteil eine sofortige Unterbringung des Kindes in dem heilpädagogischen Beobachtungsinstitut dringend geboten (...).

Aus der Krankengeschichte

1.Aufnahme. Diagnose: einfache paranoide Psychose. Bei der Aufnahme erzählt die Patientin über familiäre Verhältnisse (...).
Das Kind sei nach Hinterbrühl gebracht worden und sie mit Gewalt hierher. Sie habe eine totale Nervenerschöpfung, sie wolle sich scheiden lassen, sie sei bis zum Sommer pumperlgesund gewesen, dann habe sie Kopfschmerzen bekommen. Seither gehe es ihr schlechter, sie sorge sich sehr um ihr Kind. In Hinterbrühl (Schmuttermayer) werde es zugrundegehen. Sie habe Angst um das Kind, sie klagt über verschiedene körperliche Mißempfindungen und Schmerzen. "Das ganze könnte eine Metallvergiftung sein". (...)

Beeinflußungsideen (Metallvergiftung, Mikrowellen)
(...)
Als das Kind schulpflichtig wurde, verweigerte die Patientin den Schulbesuch des Kindes und setzte schließlich durch, daß das Kind Unterricht zu Hause erhielt. Damals wurde bei Professor Spiel (Dr.Hift) eine behandlungsbedürftige neurotische Entwicklung mit Schulphobie festgestellt. Das Kind legte seine Abschlußprüfungen über die Volksschule mit recht gutem Erfolg ab.
(...)
Die Mutter spricht von angegriffenen Nerven durch Strahlen oder Vergiftungen und durch Spritzmittel.
(...)
Die Patientin sagt, sie wolle sich scheiden lassen und diese Aktionen jetzt seien die Rache des Vaters. Der Gatte ziehe sie und das Kind auf, geht auf Fragen überhaupt nicht ein, auch bei Gericht habe ihr Gatte falsche Angaben gemacht, er habe nämlich gesagt, daß die Patientin behauptet, durch Mikrowellen einen psychischen Schaden bekommen zu haben, was jedoch nicht stimme, sie habe nur physischen Schaden bekommen.
(...)

Persönliche Untersuchung, 22.8.1985:

Angaben der Untersuchten:

(...)
Sie habe acht Klassen Volksschule, sowie das pädagogische Gymnasium absolviert und habe eine Ausbildung als Grundschullehrerin.
(...)
1983 im Jänner sei sie zirka zwei Wochen lang stationär in Gugging gewesen. Sie sei als Nonkonformistin eingewiesen worden. Das Gespräch zwischen dem Amtsarzt und ihr habe hauptsächlich über Schulprobleme gehandelt.
(...)
Zur Frage des Schulbesuches ihres Kindes gibt die Untersuchte an: "Mein Kind ist insgesamt 19 - 20 Tage lang in die Volksschule gegangen. Es wollte nicht in die Schule gehen, es wollte lieber spielen. Ich habe ihn zu Hause unterrichtet. Ich bin Lehrerin. Einmal wöchentlich ist auch ein Lehrer gekommen, der Landesschulrat hat gesagt, das müssen wir tun. Mein Mann und die Behörde waren mit dem Hausunterricht nicht einverstanden. Ich habe ihm zwei Jahre lang Unterricht gegeben, dem Kind war das lieber, weil er mehr Zeit für das Spielen hatte. Die dritte und vierte Volksschule hat er dann besucht...Es hat ihm in der Schule nicht gefallen.
(...)
Die Ärzte, die mich und mein Kind behandelt haben, haben mehrere Diagnosen gestellt: Vergiftung, Infektion, Erschöpfung. Ich habe diese Vermutungen nur wiederholt. 1978 war das Kind an der Klinik Spiel ambulant zur Untersuchung. Ich wollte nur, daß irgendeine körperliche Erkrankung bestätigt wird, damit das Kind von der Schule freikommt. Das Kind war von kleinauf gewöhnt zu tun was es will. Die Schule war der erste Zwang. 1983 war das Kind ein halbes Jahr lang im Landesjugendheim in Mödling. Durch die Aufregungen ist er schwerkrank geworden. Er konnte nur stundenweise auf den Beinen stehen, täglich 1 - 2 Stunden.
(...)
Konformisten sehen Nonkonformisten doch gerne als verrückt an. Bei der Diagnosestellung gibt es falsche Methoden. Nach der Entlassung habe ich keine Medikamente mehr genommen. Ich bin seit der Neurolepticatherapie erlebnisgeschädigt.
(...)
Ich möchte von dieser Diagnose rehabilitiert werden, weil ich ungeheure Nach-

teile davon habe. Ich fürchte, daß eine Einweisung und Behandlung wieder vorkommen könnte. Ich meine, weil ich ganz anders denke, komme ich anderen als verrückt vor.

GUTACHTEN

Bei Yolanda Reiter besteht eine Schizophrenie.

(...)

Die Krankheitseinsicht ist fehlend, die kritische Realitätskontrolle zeigt eine Störung. Die Untersuchte ist intellektuell gut begabt, es finden sich keine Demenzerscheinungen.

(...)

Die Diagnose erscheint durch eine stationäre Beobachtung im Niederösterreichischen Landeskrankenhaus für Psychiatrie und Neurologie Klosterneuburg, außenanamnestische Angaben, eine testpsychologische Untersuchung, sowie eine eigene ausführliche Untersuchung gesichert.

Die amtsärztliche Einweisung der Untersuchten in das Niederösterreichische Landeskrankenhaus für Psychiatrie und Neurologie Klosterneuburg erfolgte am 27.1.1983 zur Beobachtung ihres Geisteszustandes. Als Begründung für die Einweisung wird angegeben, daß ein gravierender Erziehungsnotstand vorlag und das erkennende Gericht an der geistigen Gesundheit der Kindesmutter zweifelte. Mehrfache Berichte stellten eine beträchtliche Störung der Entwicklung des Kindes fest. Eine Untersuchung an der Universitätsklinik für Kinder- und Jugendpsychiatrie Wien ergab eine behandlungsbedürftige neurotische Entwicklung des Kindes mit Schulphobie. Die Annahme eines gravierenden Erziehungsnotstandes ist somit durchaus begründet. Da diese Entwicklung weitgehend mit der psychischen Störung der Kindesmutter in Zusammenhang steht, erscheint der Versuch einer Beeinflussung der Gesamtsituation durch Behandlung der psychischen Erkrankung der Untersuchten gerechtfertigt.

Die Einweisung in das Niederösterreichische Landeskrankenhaus für Psychiatrie und Neurologie Klosterneuburg erscheint somit unter Berücksichtigung der damaligen Situation als richtig.

(...)

DIE KLÄGERIN erhielt

Dapotum D sowie Fluanxol depot. Es handelt sich dabei um Neuroleptica mit Depot-Wirkung, wie sie bei Psychosen üblicherweise zur Verwendung kommen. Weiters wurde am Abend der Aufnahme 100 mg Truxal - ein rasch wirksames stark dämpfendes Neurolepticum - verabreicht, da sich die Klägerin

in einem Erregungszustand befand.
(...)
Die verabreichten Medikamente, die Dosierung sowie die Verabreichungsform entsprechen der derzeit üblichen Behandlungsmethode schizophrener Erkrankungen.
Ebenso stellen die begleitenden psychotherapeutischen Aussprachen mit der KLÄGERIN und ihrem Gatten Teil eines üblichen Behandlungskonzeptes dar.
Die im Niederösterreichischen Landeskrankenhaus für Psychiatrie und Neurologie Klosterneuburg durchgeführte Behandlung der KLÄGERIN muß somit als indiziert und sachgerecht bezeichnet werden.

Yolanda Reiter:

27.1.1483

"Vom Staat finanzierte Geistlichkeit".
..."doch die kirchlichen Behörden machten ihr voll Aberglauben, Vorurteilen und aus religiösem Fanatismus dennoch den Prozeß. Sie habe dem Kind einen Apfel gegeben, in dem der Teufel (in Form eines Wurmes) war", kann man aus den Prozeßakten entnehmen, und "in einer Flasche auf ihrem Fensterbrett habe sie den Teufel, wieder als Fliege verkleidet, beherbergt".

27.1.1983

"Die Mutter übertrage symbiotisch-telepathisch eine Nervenentzündung ihrem Kind..."

1483: verbrannt.
1983: Psychiatrisierung.

Hexenprozesse im 20.Jahrhundert - es gibt unzählige.
Wie ein Prozeß sein soll (damit es kein Hexenprozeß wird), und wie er nicht sein soll, beschrieb Ivan Illich z.B. in "Entmündigung durch Experten" klar und deutlich.
Die wirklich selbstverständliche Lösung (welche neben Ivan Illich auch der

Philosoph E.Fromm, der Systemforscher F.Vester u.a. vorschlagen), ist von allen, die in unser zivilisiertes Gewaltsystem hineingeraten sind, natürlich viel viel leichter zu kapieren.
Die von unserem radikal humanistischen Denken vorgeschlagene Lösung heißt: "Laienkontrolle mit pragmatischer Taktik, statt generelle Strategie". Angepaßt an die Situation: Jeder kann vom Richter, Psychiater, von sonstigem Fachmann oder von sonst jemandem Beweisfakten fordern. Und der Richter, der Psychiater, Arzt, irgendein Fachmann oder sonst irgendjemand, der für die Richtigkeit einer Strafe, einer Psychiatrisierung, eines Medikaments u.dgl. keine JEDERMANN verständlichen faktischen Beweise bringen will bzw. kann, der versteht selber nicht, was er redet. Insbesonders dann nicht, wenn der Herr "Fachmann" sich hinter Jargonfetzen und Abstrahierungen versteckt. - Ich bin selber nach einem der hemmungslos-munter "geführten" Hexenprozesse geistig gesund zwei Wochen lang psychiatrisiert worden. Ca.4 Dapotum-Depot-Spritzen (aus der Gruppe der Neuroleptika) spritzte man mir in dieser kurzen Zeit in die Muskeln. Ich fordere hier - zusammen mit anderen "Abgespritzten", daß die sogenannten Experten, ebenso wie die sogenannten "Nichtzuständigen", die eine Psychopharmaka-, insbesondere Neuroleptika-, z.B. Dapotum-Depot-Kur bewilligen, bzw. als korrekt bezeichnen, genannte an sich selbst auszuprobieren. Ich erlitt nach der 4.Spritze ca. eineinhalb Jahre lang Tag und Nacht pausenlose, psychisch-physische unvorstellbare Höllenqualen (Folgeerscheinung von Neuroleptika). Nach dieser Zeit war die qualvolle, pausenlose Folgeerscheinung auch noch nicht ganz vorbei. - Insgesamt vergingen fast ca. zwei Jahre, bis ich endlich nicht mehr ein qualvolles Stück Stein, eine professionell erzeugte "Untote" war. Doch jetzt noch, nach fast drei Jahren, bin ich noch in hohem Grad erlebnisgeschädigt, bis zu einem gewissen Grad immer noch ein chemotherapeutisch erzeugter Zombie, der nur so viel "erleben" kann, wie "ein mit dichten Schleiern verhängter Spiegel" wiederzuspiegeln vermag. Ob mein neuroleptikageschädigter Organismus je wieder die volle Erlebnisfähigkeit der "Vorneuroleptika-Zeit" wiedererlangt, ist fraglich. **Doch ich beklage** einige "narzistisch" bzw. "inzestuös" bzw. nekrophil" belämmerte Experten, die mein Kind und mich durch ihre zu "Fürsorge" rationalisierte Destruktivität nicht "nur" gesundheitlich schwer geschädigt hatten, nicht "nur" uns unsagbares Leid zugefügt haben, nicht nur 1984 gedroht hatten, daß das amtlich unterstrichene Verbrechen von 1983 sich jederzeit wiederholen kann, nicht "nur", daß wir Ende 1984 allein durch den bemerkenswerten Mut einiger Freunde einer neuerlichen manipulierten Einweisung entgangen sind, nicht "nur", daß ich, mein Landhaus leer stehen lassend, in der

Großstadt Wien leben muß, um mir von Gewalt geradezu faszinierte, urkundenfälschende und lügende, bzw. ihren eigenen psychischen Schaden projezierende Experten vom Hals zu schaffen. Tatsache ist auch noch: Aufgewertete Mißachter des Gesetzes und der Menschlichkeit reinigen ihre schmutzige Weste mit der üblichen Hexenmacherei: schon immer wurden straflos UNBEQUEME auf die dem gesellschaftlichen Wahn angepaßte Weise weggeräumt. Der Hexenwahn ist nie untergegangen: heute trägt er den Namen "Psychiatrisierung". Im Mittelalter war nur ein verschwindender Prozentsatz der sogenannten "Hexen" fraglos ebenso destruktiv, wie ihre Verfolger (d.h. Machthaber samt belämmerte Bevölkerung). Und heute, im 20.Jht. (180 Jahre Psychiatrie) ist nur ein verschwindender Prozentsatz der sogenannten Geisteskranken ebenso geisteskrank wie der "Therapeut" selber. Nicht einmal nach den fragwürdigen Regeln der Psychiatrie hätte man die meisten Zwangsbehandelten, die meisten in der Psychiatrie Eingekerkerten, durch psychiatrische Gutachten Entrechteten, zu "Patienten" degradieren können, wenn der Psychiater seine "Diagnose" wirklich beweisen müßte.
Doch es geschieht uns recht! Warum liefern wir die - nach den psychiatrischen Regeln "Geisteskranken", die ja keine Verbrechen begangen haben, diesem gewaltliebenden, zu Psychiatrie rationalisierten, Despotismus aus? Und wenn wir die sogenannten Geisteskranken aus Angst vor der ihnen angedichteten Destruktivität einsperren und zu unheilbaren "Zombies" spritzen lassen, beweisen wir hier draußen, daß wir, samt den Psychiatern, destruktiver und nach allen Regeln der Logik kranker sind, als die sogenannten "Geisteskranken". Mit dem Einverständnis des Bürgers begehen die Psychiater genau dieselbe Brutalität, die "Geisteskranke" angeblich begehen würden, wenn man sie durch Chemofolter und Freiheitsentzug nicht tatsächlich unheilbar schädigen würde. Daß die gefährlichste Geisteskrankheit, nach dem mittelalterlichen Hexenwahn, der psychologische Hexenwahn ist, beweist der Psychiater selber durch seine als "Fürsorge" getarnte Destruktivität.

Yolanda Reiter ist nicht in Österreich geboren und aufgewachsen.

Roman Reiter, 11 Jahre alt

Tiergeschichte

(geschrieben 1982, ca. 2 Monate vor der "Einweisung")

In der Tiefe des afrikanischen Dschungels war Mas der Löwe auf der Jagd nach Beute. Er jagte aber nicht nur für sich sondern besonders für seine Frau die sechs kleine Löwenbabies ernähren mußte.

Es war gerade Sonnenaufgang als er schon wieder Jagdfieber hatte, obwohl er die halbe Nacht hindurch erfolgreich gejagt hatte.

Ein Zebra hatte der Löwe für seine Familie gerissen. Aber was ist schon ein Zebra für eine achtköpfige Löwenfamilie. Und wie jeder weiß, sind Löwen (als einzige Katzentiere) Rudeltiere. Und ein anderer Löwe aus seinem Rudel hatte ihm das beste Stück von dem Zebra, das eigentlich für die kleinen reserviert war, vor der Nase weggeschnappt. Was dem anderen Löwen sehr schlecht bekommen wäre, wäre er nicht genauso flink wie frech gewesen. Denn Mas der Löwe war Anführer des Löwenrudels. Mas schlich durch das Dickicht und kam schließlich zum Ufer des Natsi-Flusses, wie er von allen Dschungeltieren genannt wurde. Dieser Nebenfluss des Kongo ist den Menschen nicht bekannt, weil er für die Menschen viel zu versteckt liegt. Und seinen Namen hat der Fluss von seinem Beherrscher. Von Natsi, dem weißen Krokodil. Dem einzigen weißen Krokodil, das es je gab. "Ein Wunder der Natur!" Natsi ist der Beherrscher aller afrikanischen Krokodile. Alle Dschungelbewohner wußten auch, wie gefährlich Natsi auf Beutefang war. Und sie hatten deshalb gehörigen Respekt vor dem weißen Krokodil.

Außer Mas, der nur darauf wartete, Natsi einen Streich zu spielen um zu beweisen, daß er "Mas der Löwe" Anführer eines großen Rudels vor dem weißen Krokodil keinen Respekt zu haben braucht. Plötzlich sah Mas irgendwo am anderen Ufer auf einem Stein ein Tier liegen, das sich aber nicht rührte. Schlief es oder war es ein toter Kadawer? Mas beschloß gerade nachzusehen, als er ein wenig weiter flußabwärts Natsi und seine Krokodilfreunde sah. Auch Natsi hatte das reglose Etwas schon erspät und kam bedrohlich näher, die anderen Krokodile folgten ihm auf dem Fuße. Natsis Blick hatte zwar erst Mas den löwen erspät, aber den hatte das weiße Krokodil nie erwischt. Dafür versprach das Tier am anderen Ufer eine sichere Beute zu sein. In dem Moment als Mas Natsi sah faßte er einen wagemutigen Entschluß. Auf Tod und Leben wollte Mas das Tier am anderen Ufer haben. Ein Baumstamm, der alt und Morsch für alle schwimmunfähigen Dschungeltiere eine Brücke über den Fluß

bildete, war der einzige Weg über den Fluß. Mas lief blitzschnell über den Baumstamm und strebte der Stelle zu an der der Löwe das seltsame Tier gesehen hatte. der Rachen des weißen Krokodils näherte sich indes immer mehr dem kleinen scheinbar ahnungslosen Tier.
Plötzlich aber schreckte es auf, der jetzigen Gefahr bewußt.
Das weiße Krokodil war einen Augenblick lang verwundert über das Aussehen seines Opfers. Aber sofort hatte Natsi sich wieder gefaßt und schnappte nach dem Kopf des Opfers. Aber wo war der Kopf?
In letzter Sekunde hatte Mas der Löwe das Tier, das einmal Natsis sicheres Opfer war mit dem Maul an der Schulter gepackt und war über den Baumstamm gelaufen und war im Dickicht des Dschungels verschwunden. Das ganze geschah jedoch, ohne das Tier zu verletzen. Er hatte es genauso getragen, wie auch seine Frau ihre Kinder liebevoll behutsam und schmerzlos trug.
Er hätte es mit einem Nackenbiss erledigen können aber seltsame Vorgänge spielten sich im Kopf von dem Löwen ab. Das Tier erinnerte ihn irgendwie an seine eigenen kleinen Löwen.
Es war gescheckt aber trotzdem es gehörte zu seiner Rasse.
Es war ein Katzentier - ein bor-ni. Jetzt erinnerte er sich, daß er, Mas, schon einmal große gescheckte Katzen gesehen hatte.

Bor-ha, dachte der Löwe, was soviel wie gescheckte Katze bedeutete.

"Roman, über den nie jemand sich beklagte, war seiner Klugheit und seines fröhlichen kontaktfreudigen Wesens wegen bewundert und beliebt. Einige Wochen später, nach der gewalttätigen gesetzwidrigen Doppeleinweisung, war er ein tief unglückliches Kind, das auf brutalste Weise mißhandelt wurde, weil er seine, in der Streßsituation auftretenden, Ohrenschmerzen nicht verheimlichen konnte.
Seine Polyneuritis wurde vom Doktor umdiagnostiziert: 'Die Mutter überträgt dem Kind die vom Kind als eigene beklagten Symptome'."

Yolanda

Roman Reiter

Brief aus der Anstalt

(März 1983)

Liebe Mama ich fühle mich beim absterben. Jede Sekunde hier ist eine Qual. Warum kommst du nicht, ich werde hier seelisch zu grunde gerichtet. Seit wann bist du zuhause? Warum hast du mich nicht angerufen? Was bedeuten deine Briefe genau, daß ich rauskomme wenn ich mit ihm rede? Warum hast du mir nicht geschrieben wann ich rauskomme? Bitte hol mich aus dem Heim. Bitte hol mich raus, weil ich weiß nicht wie lange ich es noch lebend aushalte. Ich fühle daß meine Lebenskraft zu Ende geht. Ich leide unermeßlich. Das hiersein, das Heim, quält mich entsetzlich. Ich werde geschlagen weil man mir nicht glaubt daß ich manchmal nicht stehen kann und Ohrweh und Kopfweh habe wenn jemand laut ist. Alle hier glauben daß ich simuliere und lüge. Die Schwester Katja schlagt mich, weil sie das glaubt. Sie sagt ich simuliere wenn ich nicht stehen kann. Und sie zerrt mich an den Haaren. Zwei Schwestern haben mich einmal aus dem Bett gezerrt als ich zu schwach zum aufstehen war, und mich auf den Gang geschleift und einige Zeit liegengelassen. Ich bin öfters wegen meinen Schmerzen mißhandelt worden. Alle denken daß ich simuliere. Und meine Ohren tun schrecklich weh. Man will mir nicht glauben das ich wegen der Ohrenschmerzen leide. Man hat mich tagelang weinengelassen. Als man mich anschrie, ich solle nicht simulieren, daß meine Ohren wehtäten weinte ich vor Schmerzen und man drohte mir mit Ohrfeigen.

Ich fühle mich nicht mehr lebend. Ich mußte kriechen, zur Wasserleitung, denn als ich um etwas zu trinken bat, hat man mir nichts gegeben, weil man mir nicht glaubte daß ich manchmal zu schwach bin um aufzustehen und herumzugehen. Bitte hol mich raus.

Ich weiß nicht wie lange ich durchhalte was man hier mit mir macht. Man läßt mich nichts lesen und man nahm mir meine Buntstifte weg, und den Zeichenblock und schließlich auch den Bleistift den ich noch hatte. Ich werde immer mehr aus mir herausgequält. Ich bin nicht mehr ich. Ich fühle wie meine Lebenskraft zu Ende geht. Ich kriege kaum Obst. Bitte hol mich raus, denn ich weiß nicht wie lange ich es noch lebend aushalte.

Abschrift eines Briefes vom 20.9.1985

Liebe Frau Reiter!

Auf Ihre Bitte hin teile ich Ihnen meine Beobachtung, wie folgt, mit:
Auf Grund meiner Anwesenheit im Warteraum von Herrn Dr.Klaar wurde ich 1982 Zeuge eines Telefongesprächs (da das Telefon im Vorraum, der gelegentlich auch als Warteraum benutzt wird, steht), welches folgenden Inhalt hatte:

Er, Herr Dr.Klaar, habe eine Patientin, die offenbar Symptome einer Schädigung durch einen Mikrowellenherd aufweist. Er erwähnte, daß "die Russen" (so der Wortlaut) diesbezüglich Forschungen durchgeführt hätten, und bat, mit jemandem (eventuell über die Botschaft) Verbindung aufnehmen zu können, der darüber näher Bescheid weiß.

Ich erinnere mich, daß Sie, Frau Reiter, während dieses Telefonates noch im Ordinationszimmer waren.
Ebenso möchte ich auf Ihre Bitte hin folgendes bestätigen:

Vom Hörensagen und aus Telefongesprächen ist mir bekannt, daß Sie, Frau Reiter, mit dem "Erich-Fromm-Verein" Aktivitäten setzten und ebenfalls bei einer Jugoslawien-Hilfe (Caritas) tätig waren.
Ich lernte Sie im Warteraum von Herrn Dr.Klaar durch ein intensives Gespräch (über Schule etc.) kennen und habe Sie als sehr kontaktfreudige Person empfunden.

Mit herzlichen Grüßen
Elke (...)

Abschrift eines Briefes des Ehemannes vom 23.9.1984

Liebe Yolanda!

Ich kenne Dich nun schon seit 1957. Du hast ein sehr starkes Temperament und bist bei vielen Gelegenheiten leicht emotionell. Du warst aber niemals geisteskrank. Du hast Dich niemals von etwas oder jemandem verfolgt gefühlt auch nicht von Strahlen. Man kann es wirklich nicht als Strahlenangst bezeichnen, wenn Du auf ärztlichen Rat Dr.Klaars und anderer Experten den Mikrowellenofen nicht benützt hast. Dr.Klaar hat auch mir gegenüber Mikrowellenstrahlschaden bei Dir und beim Kind diagnostiziert. Die Einlieferung in das psychiatrische Krankenhaus beruhte auf einer Fehldiagnose. Wenn jemand einen Mikrowellenofen auf ärztlichen Rat abdreht, dann ist er doch noch nicht verrückt sondern höchstens ein folgsamer Patient. Da könnte ja jeder der einen ärztlichen Rat oder den Rat eines anderen Experten befolgt als Irrer behandelt werden.
Du hast immer gute Laune gehabt und nie Depressionen. Wenn wir gestritten haben warst Du immer bald wieder gut. Du hast immer mit den Leuten viel und guten Kontakt gehabt und hast niemals jemand als Deinen Feind oder als bösen Menschen betrachtet. Du bist zu allen ausgesprochen gutgläubig und hast immer jeden Menschen zu verstehen versucht. Deine Wahrheitsliebe ist eine besonders hervorstechende Eigenschaft von Dir ebenso wie Deine Gutgläubigkeit. Sogar Deine Vorwürfe gegen mich hast Du damit abgeschwächt, daß mein Verhalten gegen Dich und Roman aus dem Unbewussten käme und nicht von mir gewollt sei.

Viele Grüsse
Wilhelm

Abschrift eines Briefes des Wiener Kurier vom 19.9.1985

Sehr geehrte Frau Reiter,
In Beantwortung unseres Telephonates bestätigen wir gerne, daß Sie sich bei unseren zahlreichen Telephonaten in den Jahren 1981 und 1982 als eine äußerst engagierte und dynamische Verfechterin der antiautoritären Erziehungs-Ideen von Erich Fromm und Frederic Vester erwiesen haben und sehr zielstrebig die Gründung einer "Erich Fromm-Gesellschaft" ins Auge faßten. Der Eindruck von "kontaktscheu" konnte aus diesen Telephongesprächen jedenfalls nicht entstehen.

Hochachtungsvoll

(Montage: Krista Krumbiegel)

"Frauen von den Hügeln! Ihr
braucht nicht erst das Wahlrecht,
um das Wort zu ergreifen und es
für immer zu behalten."

Mama JONES, 1895

LESUNG IM FRAUENGEFÄNGNIS SCHWARZAU

am 27.11.1985

um 17 Uhr

Marianne Gruber

Evelyn Holloway

Karin Jahn

Krista Krumbiegel

Ingeborg Drewitz

Begleitwort/ Geleitwort

Gern wäre ich hier, denn das, was Krista Krumbiegel im Namen der Grazer Autorenversammlung als Programm und Arbeitsauftrag entwickelt hat, trifft mit meiner Arbeit zusammen: Das Horchen auf die Stimmen, die im öffentlichen Stimmengewirr untergehen. Aber ein Autorenleben ist nicht frei (wenn auch zuweilen vogelfrei) und so kann ich an diesem Tag nicht bei Ihnen in der Schmiede sein.

Ich bin aber froh, daß in Österreich aufgenommen worden ist und wird, was einige Autoren in der Bundesrepublik Deutschland, unter ihnen auch ich, angefangen und entwickelt haben. Das, was "im Knast" geschrieben wird, wichtig zu nehmen. Ich habe einige Textbücher mit Gedichten und Prosa "aus dem Knast" veröffentlicht, bin zwar enttäuscht über das relativ geringe Interesse der Leserschaft, aber auch erstaunt gewesen über das große Echo in den Medien. Da ist ein Widerspruch deutlich geworden, der ganz offensichtlich nicht auflösbar ist: Der zwischen engagierten, an den Menschenrechten, an der Überwindung sozialer Differenzen interessierten intellektuellen Öffentlichkeit und der öffentlichen Gleichgültigkeit.

So ähnlich muß es den Gefängnispfarrern ergangen sein, die vor 1914 Texte aus den Gefängnissen veröffentlichten, um aufzuzeigen, daß hinter Gittern Menschen leben, die, wie jeder andere auch, lieben und hassen können und, einmal entlassen, wie jeder andere leben wollen. Ich habe die alten Bücher mit Rührung, aber auch mit Abwehr gelesen, weil die Kirchenmänner mit einer Sicherheit von Gott als dem obersten Richter schreiben und von ihren Häftlingen gefaltete Hände erwarten konnten - eine Sicherheit auch der Disziplinierung, die wir nicht mehr aufbringen können und wollen, obgleich wir ähnliche soziale Situationen vorfinden: Daß nämlich der Gescheiterte, der Inhaftierte, der aus der Haft Entlassene nicht als gleichberechtigter Mensch angenommen wird, auch wenn das Gesetz es anders meint.

Die sogenannte Gesellschaft verschanzt sich hinter Gleichgültigkeit, weil ja der Gescheiterte in ihren Augen suspekt ist - was soll's auch, Arbeitsplätze sind nicht einmal für die Nicht-Vorbestraften da! Daß das Außerhalb-Bleiben neues Scheitern prä-formiert, kann nur die schockieren, die noch nie am Rande gestanden haben.

Wer sich mit Biographien von Inhaftierten vor und nach der Entlassung beschäftigt, nicht neugierig sondern beteiligt, erkennt, daß zwar nicht jedes Scheitern gesellschaftlich bedingt ist, daß jedoch immer wieder individuelle und soziale Labilität zusammentreffen, daß die zwischenmenschliche Kälte, die für Industriegesellschaften charakteristisch ist, den einzelnen vor und während und nach der Haft allein läßt. Aufzuzeigen, was die Frauen und Männer, sorgfältig eingesperrt, fühlen, leben, leiden - uns selbst zu entdecken, wie wir mit diesen Erfahrungen umgehen, ist eine Selbstprüfung, der wir gern ausweichen in unsere bequem hübsche Bürgerlichkeit. Doch machen wir's uns, wenn wir uns auf diese so anderen Leben einlassen, auch nicht zu leicht! Romantisieren wir das Scheitern nicht, denn dann würden wir blind werden für die einzelnen in der Zelle. Es ist nur scheinbar leicht, an den Menschen zu glauben. Wenn wir nicht zu ihm halten, wenn sie uns enttäuschen wird, taugt unsere Humanität nichts, denn der und die verstörte und zerstörte Einzelne kann mit unserer Freundlichkeit wenig anfangen, braucht Hinweise auf den Lebensalltag, auf Arbeits- und Wohnmöglichkeiten, braucht Zuwendung, um sich nicht wieder den falschen Tröstungen - und hier ist erfahrungsgemäß der Alkohol an erster Stelle zu nennen - auszusetzen.
Wir müssen uns eingestehen, daß wir immer wieder an Grenzen geraten, hinter denen die alltägliche Ratlosigkeit wartet, und wir können uns nicht darüber hinwegmogeln, daß wir trotz guten Willens innerhalb der sozialen Vernetzungen kaum Maschen für die Gescheiterten finden, die ihnen ermöglichen könnten, selbstverständliche Glieder der Gesellschaft zu sein. Der Konjunktiv als Grenze - wir alle, die wir versuchen, die einmal Gescheiterten in die Gesellschaftsfamilie aufzunehmen, erfahren ihn täglich, je prekärer die Situation auf dem Arbeitsmarkt wird; und wir erleben oft genug zusammen mit den immer wieder so aufopferungswilligen Frauen, das neue, das zweite, das dritte Abgleiten des einmal Gescheiterten in den Suff, in die Brutalität, in die Kleinkriminalität.

Darauf nicht hochmütig zu reagieren, darauf nicht enttäuscht ins Bedauern auszuweichen, fällt schwer.

Und darum bin ich dankbar, daß die Grazer Autorenversammlung sich der Aufgabe angenommen hat, oft brachliegende, kreative Begabungen derer, die mit ihren Erfahrungen erst umgehen lernen müssen, zu fördern und auf sie hinzuweisen, Fragen zu stellen, die die Literaturwissenschaft nicht stellt: Wo etwa Sprachverwahrlosung zur Zerstörung des Menschen führt; wo Ordnung zur Diktatur umkippt; wie mit den innergesellschaftlich produzierten Realitätsverlusten umgegangen wird.

Denn wir leben ja in Wirklichkeiten, die die Germanistik nicht erreichen kann. Wir leben inmitten von Sprachverschleiß und Sprachzerstörung, die den Schreibenden und den Lesenden nicht erreichen, die ihn einem großen Teil der Wirklichkeiten entfremden. Die so entstandene Kluft für überwindbar zu halten, ist wohl Idee und Antrieb zur Vorbereitung dieses Symposions geworden.

Reden Sie miteinander und schreiben Sie auf, wenn und warum Sie ein Unbehagen an der Veranstaltung haben;
oder / und warum Sie sie für wichtig halten!
Sie werden entdecken, daß jeder von uns mit Vorurteilen belastet ist, die zu überwinden nicht leicht fällt.
Sie werden entdecken, daß es verdammt schwer ist, menschlich zu Menschen zu sein.
Aber Sie werden auch entdecken, daß es nur der Aufhebung der Anonymität bedarf, um den anderen anzunehmen.

(Gelesen hat Ilse Aschner.)

Ingeborg Drewitz, lebt in Westberlin; Autorin bzw. Herausgeberin zahlreicher Werke, wie z.B. "Schatten im Kalk" (Lyrik und Prosa aus dem Knast) oder "1984 - am Ende der Utopien".

Brief aus der Untersuchungshaft
(Innsbrucker Gefangenenhaus)

... Gedanken aus der Verbannung oder Die Beschreibung einer Wirksamkeit, deren Wesen als Struktur, Widerstand, Hemmung und Zeit definiert werden kann ...

Vor ungezählten ... vor g e n a u gezählten Tagen ist die Tür hinter mir zugefallen. Sie bleibt fest verschlossen. Selbst wenn sie offensteht, suggeriert sie Verschlossenheit, denn sie steht in Eisen. Mit Sicherheit öffnet sich diese Tür einmal pro Tag: beim Spaziergang. Sonst bleibt sie verriegelt. Frühstück, Mittagessen und Abendessen werden durch ein kleines Türchen in der Türe gereicht. Im kleinen Türchen in der Türe befindet sich ein noch kleineres Türchen, ein Spion, der zur Überwachung dient, denn das ganze Instrumentarium erfüllt nur dann seinen Sinn, wenn dahinter ein Mensch sitzt. Hingegen ist das Mitführen von Tieren und Pflanzen verboten; diese haben ja nichts verbrochen.

Die meisten Räume, auch im Gefängnis, haben zwei Eingänge oder Ausgänge: Tür und Fenster. Während die Tür den ganzen Tag fest verschlossen bleibt, besteht die Möglichkeit, das Fenster nach Gutdünken auf- und zuzumachen. Hierin besteht Freiheit. Ausdrücklich untersagt hingegen ist das Hinausschauen aus dem Fenster, sofern hierfür ein Stockerl verwendet wird, um das erhöhte Fenster zu erreichen, wohl aus Gründen der Absturzgefahr. Das Fenster ist massiv vergittert, mit Beton, wegen der Eisensägen, und damit die Leute nicht hin-ausfallen.

Ich sitze in einer Zelle, das heißt in einer Falle. Ich spüre den durchgespannten Drahtbügel im Genick, der mich niederdrückt und festhält. Ich kann mich kaum rühren. Kasten, Bett, Tisch, Stockerl, Waschbecken und Closett stehen bedrohlich herum. Ich will das alles nicht. Ich wehre mich dagegen, diese toten, abweisenden Dinge zu benützen. Sie gehen mich nichts an. Ich will mit ihnen nichts zu tun haben!

Die Tage vergehen wie zäher, giftiger Brei.

Meine Arme, meine Beine - sind mir im Weg, sie behindern mich, führen mir meine Hilflosigkeit und Ohnmacht vor Augen. Ich kann nicht gehen; es gibt nichts anzupacken. Der Mensch kann ohne Arme und ohne Beine leben und wirken, das wissen die Einsperrer, deshalb bauen sie Zellen für Menschen ohne Arme und Beine. Ich bin ein guter Eingesperrter, ich füge mich und versuche meine Norm, meine Sache über Gebühr zu erfüllen. "Ich will wieder gut sein...

Ich schließe die Augen. Wozu schauen? Es gibt ohnehin nichts zu sehen, Zelle bleibt Zelle, und sogar eine graue Maus verdreht in der Falle die Augen ... Ich höre nichts mehr, es sind immer die gleichen Geräusche: rasselnde Schlüssel, zuschlagende Türen, brüllende Stimmen, fahrende Autos. Es riecht wie immer, das Essen schmeckt wie immer. Es ist alles wie immer. Der Mensch kann nicht nur ohne Arme und Beine leben, auch auf Augen, Ohren, Nase und Zunge kann er verzichten, zumal mit etwas gutem Willen. Einzig ATMEN muß er mit Sicherheit, will er seine Form erhalten. Das wissen auch die professionellen Einsperrer, denn jede Zelle muß ein genormtes Maß an Kubikmeter Luft enthalten.

Warum träume ich bloß so häufig, tot zu sein?

Die Zellentüre wird über den Spaziergang hinaus bei Besuch und zum Duschen geöffnet. Körperpflege, akzeptables Essen, frische Wäsche und Hygiene sind obligatorisch. Für meinen Körper wird insofern gesorgt, als dieser Nahrung erhält und sauber gehalten wird. Andere Körperfunktionen sind vernachlässigbar (siehe weiter oben). Das, was eingesperrt wird, soll am Leben bleiben, das heißt, seine äußere Form erhalten, und dieses Äußere soll sauber sein, das heißt, dem ästhetischen Bedürfnis der Einsperrer entsprechen. Folgerichtig ist im Gefängnis das wichtigste ärztliche Diagnosegerät - die Waage! Wenn das, was eingesperrt wurde, sein ursprüngliches Gewicht hält und nicht übel riecht, kann es als gesund, das heißt, als hafttauglich betrachtet werden.

Bereits jeder Lebensmitteltechniker respektiert diese Auflagen bei der Herstellung von Konservenware (Gewicht, Haltbarkeit, Geschmacksbeschaffenheit)...

(Gelesen hat Lina Hofstädter)

KUNST HINTER GITTERN

Häftlinge wenden sich an die Gesellschaft

(Landesgerichtliches Gefangenenhaus Innsbruck)

Ein Großteil dieser Ausführungen basiert auf einer vor ein paar Jahren in der "Esslinger Zeitung" erschienenen ausführlichen Reportage von Rudi Kost: "Werkstattportrait: der Übersetzer Michael K. Georgi." Rudi Kost und dem Betroffenen selber verdanke ich Einsichten in den Gefängnisalltag eines kreativ arbeitenden Menschen, dessen weiteres Schicksal uns allen am Herzen liegen sollte.

Eva Bornemann

Krimi-Übersetzer im Knast

"AM RANDE DER EINSAMKEIT", schreibt Martina Kischke, Rezensentin und Redakteurin der "Frankfurter Rundschau", "ist ein faszinierender Thriller. Kein Buch, in dem ständig 'geballert' wird - eher ein leises Buch, wahrscheinlich ist die Lektüre aber deshalb um so eindringlicher, um so glaubhafter...". Wußte Frau Kischke, unter welchen Umständen diese deutsche Übersetzung - der Autor des Buches ist Ted Allbury, sein Übersetzer heißt Michael K. Georgi, entstanden ist?
Behaglich wird man sein Arbeitszimmer kaum nennen dürfen. Eher funktional. So bezeichnet man ja wohl, was nur auf Zweckdienlichkeit ausgerichtet ist. Gemütlichkeit und Wärme sind nicht vorgesehen, ergeben sich höchstens unvermeidlich dort, wo ein Mensch sich einrichtet. Ein Arbeitsplatz, eine Schreibmaschine, Regale voller Bücher, Arbeitsmaterialien, Manuskripte verstreut, jedoch jederzeit auffindbar.
Der Arbeitstag des Michael K.Georgi beginnt morgens um sieben Uhr. Anders als Eric Malpass uns einreden will, ist um diese Zeit, wie für die meisten Menschen, die Welt keineswegs in Ordnung. Es bedarf schon einer Kanne Kaffee und eines gewaltigen Maßes an Selbstdisziplin, ihn an die Schreibmaschine zu treiben, das Klacken der Schreibmaschine macht hörbar, daß hier ein zweitesmal, und anders, entsteht, was ein anderer, den Georgi meist nur dem Namen nach kennt, in ähnlich mühseliger und quälender Arbeit anderswo zu Papier gebracht hat. Übersetzen ist ein frustrierendes und faszinierendes Geschäft, mechanisch und kreativ, nachvollziehend und neuschöpferisch, immer dem alten Streit entlang: Originaltreue oder Sinntreue. Der Freiraum des literarischen Übersetzers ist beträchtlich, was oft eher Anlaß zu Skrupeln gibt als zur Erleichterung. Michael K. Georgi sagt: "Ich muß versuchen, dem deut-

schen Leser durch den Text, den ich ihm biete, die gleichen Empfindungen, Eindrücke, Gedanken, Ideen zu vermitteln, wie sie der ausländische Leser beim Original hat." Das verbietet manchmal die wörtliche Übersetzung geradezu. "Ich versuche, das weiterzugeben, was mitschwingt im Text, was zwischen den Zeilen steht", sagt Georgi, und hier nützt das beste Wörterbuch nichts. Hier braucht es Erfahrung und Einfühlungsvermögen. Das ist der Punkt, wo sich in der Gilde der Übersetzer die Spreu vom Weizen trennt. Michael K. Georgi hat jemand mittlerweile schon einen "Starübersetzer" genannt.

Übersetzen ist Schwerarbeit (und überdies eine sehr mäßig honorierte). Aber seltsam: Übersetzer wird man nicht. Man ist es eines Tages oder wird nie einer. Den Berufsweg "literarischer Übersetzer", womöglich mit staatlicher Qualitätsgarantie, gibt es nicht. Wie beim Schriftsteller bedarf es auch beim Übersetzer einer Basis, die nicht erlernbar ist: Talent, Begabung und natürlich einer nachgerade verbissenen Liebe zur Sprache, der eigenen wie der fremden.

Der VDÜ (Bundessparte Übersetzer im VS in der IG Druck und Papier) betreut seit Jahren Michael Georgi, der "lebenslänglich" in der Justizvollzugsanstalt Heilbronn einsitzt - von seiner Strafe hat er bis heute etwa 10 Jahre abgesessen. Der Übersetzerverband hat ihm Wörterbücher gespendet, ihn mit der Computerübertragung bekannt gemacht, ihm ein Abonnement auf LEBENDE SPRACHEN besorgt u.s.w. Michael K. Georgi ist Übersetzer aus innerer Not geworden. Sein Arbeitszimmer ist Zelle 9 im ersten Stock des Westflügels der Justizvollzugsanstalt Heilbronn: Landesgefängnis nennt sich der mauernbewehrte Gebäudekomplex mitten im Wohngebiet der Stadt. Michael K. Georgi sitzt dort ein: Lebenslänglich wegen Mordes. Das Gericht hätte auch auf Totschlag "erkennen" können. Das ist weitgehend eine Ermessensfrage und hat auch zu tun mit manchen, kaum greifbaren Unwägbarkeiten der Instanzen. Am Anlaß zur Tat ändert das nichts, aber an den Folgen. Totschlag wird in der Bundesrepublik mit mindestens fünf Jahren Gefängnis bestraft und gelegentlich mit lebenslänglich; Mord immer. Die Unterschiede der Tötungsart sind fein und umstritten, die Unterschiede der Strafbemessung greifbar. "Lebenslänglich" macht das Opfer auch nicht wieder lebendig, aber möglicherweise den Täter tot.

Urteilsschelte - aber nein. Was wäre der Sinn. Man hadert nicht mit seinem Schicksal. Es ist so gekommen, und warum es so gekommen ist, das ist eine andere und lange Geschichte. Man muß lernen, damit fertigzuwerden. Aber Fragen, ungläubige von außen, quälende im Innern, sind zwangsläufig und nicht zu unterdrücken. Und dann sitzt du da in deiner Zelle, 6,7 Quadratmeter groß, Arbeitszimmer, Wohnzimmer, Eßzimmer, Schlafzimmer, Toilette in

einem, sitzt da auf deinem Stuhl und deinem Bett.
Vom Prinzip der Rache haben wir, human und zivilisiert, wie wir sind, Abschied genommen. Und nicht einmal als "Sühne" für eine Straftat wird die Freiheitsstrafe verstanden. Das Schlagwort und das Prinzip heißen Resozialisierung. Im Juristendeutsch, selten so klar und verständlich: "Im Vollzug der Freiheitsstrafe soll der Gefangene fähig werden, künftig in sozialer Verantwortung ein Leben ohne Straftaten zu führen." (§2 Strafvollzugsgesetz). Resozialisierung meint die Rückführung des Täters in die Gesellschaft, deren moralisch tradierte und gesetzlich fixierte Regeln, ohne die ein Gemeinwesen nun einmal nicht auskommt, er durch seine Tat mißachtet hat. Einmal war Michael K. Georgi auch ein nützliches Mitglied unserer Gesellschaft, wohlerzogen, strebsam, hochintelligent, Karriere im Blick, hat sich hochgearbeitet vom kleinen Industriekaufmann zum Inhaber einer eigenen Firma, ist bei Weltfirmen in der Welt herumgekommen: Lybien, Schweiz, England, USA, hat noch vieles vor, und man traut es ihm auch zu. Jederzeit würde man einen Gebrauchtwagen von ihm kaufen. Und dann passiert etwas so scheußlich Banales, wie wir es nur aus Kriminalromanen kennen. Ein schwieriges Verhältnis steigert sich wieder einmal zu einem Streit, Haß und Wut flammen auf und Verzweiflung, wegen allem, auf alles, machen blind für alles; und einer überlebt das nicht. Mord? Totschlag? Dem Strafgefangenen in lebenslanger Haft nützt dieser Ermessensspielraum nicht. Er, den man doch nicht eigentlich resozialisieren muß, weil er der Gesellschaft ja gar nicht entfremdet ist - er sitzt da, eingesperrt auf 6,7 Quadratmeter: Schlafzimmer, Arbeitszimmer, Wohnzimmer, Eßzimmer und Toilette zugleich, zurückgeworfen auf sich selbst und ihm gehen lauter Gedanken im Kopf herum.
Wie lang eine Strafe auch immer sein mag: eine Tat ungeschehen machen kann sie nie, und nicht einmal "sühnen".
In Heilbronn arbeiten die Gefangenen in der Schreinerei, der Schlosserei, als Buchbinder oder Schriftsetzer. Wenn sie morgens um 6.40 Uhr in die anstaltseigenen Betriebe ausrücken, schließt sich hinter Michael K. Georgi die Zellentür wieder, und er arbeitet an seinen Übersetzungen. "Selbstbeschäftigung" nennt sich das im Bürokratenjargon, und sie ist nicht selbstverständlich. Es braucht schon einige Mühe und das wohlwollende Verständnis einer Gefängnisleitung, die Genehmigung zu erhalten. Ein penibler, sieben Punkte umfassender Vertrag regelt die "Selbstbeschäftigung" des Strafgefangenen Georgi, Michael. Beispielsweise muß er den "Weißen Ring", Gemeinnütziger Verein zur Unterstützung von Kriminalitätsopfern und zur Verhütung von Straftaten e.V., mit Zuwendungen unterstützen, monatlich mindestens 10 Prozent seines Bruttoe-

inkommens, und mindestens solange, bis eine "Spendensumme von DM 10.000.- erreicht ist".

Für Georgi ist "Selbstbeschäftigung" ein "Überlebensstrohhalm", wie er sagt, ein inneres Erfordernis, um nicht durchzudrehen. Mittlerweile hat sich ihm dadurch eine gänzlich neue Welt erschlossen, "eine Ersatzwelt", sagt er, "für das, was mir an Freiheit genommen wurde", eine Welt mit Zukunftsperspektiven, die auch an die Zeit "danach" denken lassen. Lebenslängliche können nach den derzeit üblichen Regeln, von Bundesland zu Bundesland verschieden, auf dem Wege des Gnadenerweises nach etwa 20 Jahren Haft entlassen werden. Georgi ist jetzt 42, seit beinahe 10 Jahren sitzt er im Gefängnis. Nach weiteren zehn (oder 8) Jahren, mit etwa Fünfzig, ist er wieder draußen - mit dem Leben könnte man noch etwas anfangen.
Und er hat auch die besten Voraussetzungen dafür. Er ist als Übersetzer anerkannt, hat sich einen Namen gemacht. Er bekommt seine Aufträge. Draußen ist er wer und will noch mehr aus sich machen. Grundlagenarbeit ist immer gut.
Eigentlich ist das eine erstaunliche Karriere, und umso erstaunlicher, daß sie hinter Gittern vollzogen wurde. Georgi ist einer der Übersetzer, die es halt irgendwann packt. Mit Übersetzen fing er erst im Knast an, als er keinen anderen Ausweg mehr sah, wie diesem Leben noch Sinn zu geben sei. Er kommt von der Praxis, Handelsenglisch bei Berlitz, viel im Ausland, die letzten zwei Jahre in England - der letzte Schliff, aber nicht unbedingt eine Empfehlung für die Verlage, denen sich ein junger Mann als neues Übersetzertalent anbietet. Von 70 Anfragen kamen 69 zurück mit den üblichen höflichen Absagen. Der siebzigste wollte immerhin einen Versuch machen, trotz der vielen und kaum erahnbaren administrativen Probleme, die eine solche "Selbstbeschäftigung" aufwirft. Mittlerweile hat Georgi weit mehr als ein halbes Hundert Übersetzungen abgeschlossen. Bernd Jost vom Ullstein Verlag hielt ihm die Stange, erkannte das Talent und machte sich die Mühe, den Debütanten anzuleiten. Selbstverständlich ist das nicht, zumal nicht in diesem Gewerbe. Bernd Jost war bei Ullstein für die Krimi-Reihe verantwortlich. Und da sitzt einer wegen Mordes im Knast und beschäftigt sich fast ausnahmslos mit Büchern, die von Mord und Totschlag handeln und deren Helden, weil die Gerechtigkeit siegen muß, immer noch überwiegend im Knast landen. Das hat für den Leser auch sein Gutes. Manche Passagen gelingen Georgi atmosphärisch deshalb so dicht, weil er aus dem Fundus schöpfen kann, der ihn täglich umgibt: Ganovensprache, Ganovenehre, Ganovenmentalität. Manche Passagen lesen sich bei ihm

so eindringlich, weil er die Täterpsychologie aus eigenem Erleben nachempfinden und nachvollziehen kann.
Daß er gerade an Krimis geraten ist, mag der bloße Zufall sein. Es gab ihm nun halt ein Krimi-Lektor die Chance: Man setzt den Anfänger nicht gleich an James Joyce.
Aus dieser und jener Zufälligkeit, auch der, daß Ian Flemings "Goldfinger" das erste Buch in englischer Sprache war, das Michael K. Georgi in die Finger bekam, könnte man ein metaphysisches Gedankengebäude erbauen und kreist dann doch um Überlegungen, die viel näher und doch unendlich tiefer liegen.
"Es ist pervers, daß ich gerade Krimis übersetze", sagt Georgi. Masochismus? Selbsttherapie? Etwas Altmodisches wie Buße? "Von all dem etwas", sagt er und schweigt dann.
Ein Übersetzer zumal muß den Verlust an Wirklichkeit schmerzlich empfinden. Was er weiß von der Welt da draußen, die er übersetzen und weitergeben muß, nährt sich aus der Erinnerung. Das Wissen um die Realität stammt aus der Vergangenheit und von anderen.
Zeitungslektüre, Radio, Fernsehen, briefliche Recherchen, schwer zu beschaffende Fachbücher sind der mühsame und unvollkommene Ersatz für das Fühlbare, Riechbare.
Gewiß, Georgi verdient mehr als die anderen. Aber von dem Geld hat er nichts, es bleibt ihm nur das auch den anderen zugestandene Hausgeld für den persönlichen Bedarf: Kaffee, Tabak usw. Seine Arbeitsmittel muß er selber bezahlen, der Rest nach Steuerabzug (fiskalisch ist Georgi freier Unternehmer) dient dazu, den Schuldenberg abzubauen, der sich vor ihm auftürmt: Verteidigerkosten, die Liquidierung seiner Firma, Verpflichtungen aus der Zeit davor. Da kommen leicht 100 000 Mark zusammen, die "freiwillige" Spende an den Weißen Ring nicht eingerechnet. Wo es um Geld geht, ist Schluß mit dem Resozialisierungsgedanken. So sieht es sein Vertrag vor: Im Gefängnis zu sein ist auch eine Art von Luxus. Die anderen Gefangenen wohnen umsonst. Etwa DM 400,— zieht ihm der Staat Monat für Monat für Kost und Logis ab, Strom geht extra. Kann er mal nicht zahlen, muß seine Mutter für ihn geradestehen. Georgi übersetzt nur: Eine nicht gewinnbringende Arbeit für den Staat, die allen Leistungskontrollen zuwiderläuft.

Ein Nachwort: Der englische Lyriker Ken Smith hat im vergangenen Monat zum erstenmal in der Geschichte des englischen Strafvollzuges seine "Residenz" in einem Londoner Gefängnis aufgeschlagen, als "writer-in-residence". Er arbeitet in dieser Funktion zweieinhalb Tage die Woche in dem berüchtigten Gefängnis Wormwood Scrubs. In seiner Eigenschaft als "Dichtkunstlehrer" wird er ein Jahr lang diesen Posten bekleiden und mit dem Leiter der Resozialisierungskommission zusammenarbeiten. Diejenigen unter den Häftlingen, die ihn hören wollen - es handelt sich hauptsächlich um "Lebenslängliche" -, schreiben sich bei Ken Smith ein wie bei irgendeinem anderen Kursus. Solche "writers-in-residence" sind im amerikanischen Strafvollzug seit Jahren gang und gäbe.
Literarische Arbeiten sind auch im Barlinnie-Gefängnis in Glasgow entstanden, wo eine kleine Gruppe von Häftlingen von der Anstaltsleitung ermutigt wird, ihr Interesse am Schreiben aufrecht zu erhalten. Der bekannteste ehemalige Insasse des Barlinnie-Gefängnisses ist Jimmy Boyle, der über seine Gefängniserfahrung zwei Bücher und ein Theaterstück verfaßte. 1979 wurde eine postume Lyriksammlung von Larry Winters veröffentlicht mit dem Titel THE SILENT SCREAM ("Der stumme Schrei").
Georgi weiß, daß er Schuld auf sich geladen hat und daß dies Konsequenzen haben muß, welche auch immer.

*

Eva Bornemann, Publizistin, literarische Übersetzerin und 20 Jahre lang Chefredakteurin des Verbandsblatts der Übersetzer (offizielles Organ des VDÜ und der Bundessparte Übersetzer im Verband deutscher Schriftsteller in der IG Druck und Papier).

Jack Unterweger

Vergewaltigt

eingeliefert, zum ersten Mal
wenige Stunden im Kerker
kaum zwanzig, langes, blondes Haar
ein Knabe noch
schuldig des Diebstahls
eine geringe Summe nur
ein Jahr Freiheitsentzug
im Namen der Republik

in eine Zelle geschickt
ungefragt zu vier
entmenschlichten Knastgestalten
sie sahen ihn kommen
mit dem kleinen Packen in der Hand
der Wärter tauschte Witze mit ihnen
der Neue war hier
ein Knabe noch

Lachen, erste Fragen
verborgen das Lauern dahinter
nach Schwäche
vielleicht geht's auch so
und dann kam sein Nein
zaghaft, naiv noch
nach wenigen Stunden Unfreiheit
er wußte nicht, was kam

eingeschüchtert, geschlagen
von Dreien gehalten
der vierte penetriert
seinen jungfräulichen Anus
(...)

vier Knastbrüder waren gierig nach Sex
zu stark für seine Gegenwehr
das Ende vermischt mit:
Spott, Tränen, Sperma
und Schweiß, Gewalt und Niederlage
einbrechen seiner Person
endlich hörten sie auf
ein Grinsen im Gesicht

blutend aus Nase und After
Drohungen empfangend
weinend an seine Mutter denkend
nur noch für sie überleben wollend
liegt der Knabe auf seiner Pritsche
ein Rauschen im Ohr
die anderen spielen Karten
er muß schweigen

im Namen der Republik:
wo sind die Richter, Kläger
Aufseher und die anderen
die den Knaben
in diese Zelle schickten

Schreiben

um zu überleben
das Leben im Zuchthaus
zu erklären
Erfolg zu haben

aufdecken die Lügen
in den Medien
der beamteten Vollstrecker
und die Zeit besiegen

im Leerlauf der Tage
Erfüllung finden
genießen die Arbeit
an der Schreibmaschine

einen Sieg gegen mich erringen
das Papier als Partner
bewältigend als Schizophrener
diese Kerkerzeit

(Aus dem Buch: "Endstation Zuchthaus/Kerkerzeit"
von Jack Unterweger, Haag und Herchen - Frankfurt 1984)

Jack Unterweger: Kindheit bei Pflegeeltern und in Heimen; als Jugendlicher im Gefängnis, bis heute: 15 Jahre Unfreiheit, seit 1974 ohne Unterbrechung inhaftiert. Autor. Zahlreiche Beiträge in Literaturzeitschriften, Anthologien, für den Hörfunk und Zeitungen. "Fegefeuer oder die Reise ins Zuchthaus", MaroVerlag. Herausgeber der Zeitschrift "Wortbrücke".

(Gelesen haben Clemens Appel und Ernst Christian Mathon von der Theatergruppe "Thespiskarren")

WORTBRÜCKE NR.2

52 Seiten
MARO-Verlag
Druck
Sommer 1985

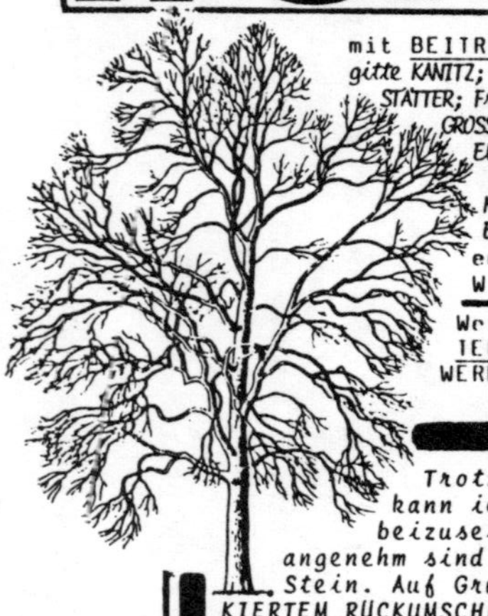

mit BEITRÄGEN von: Linda CHRISTANELL; Käthe KRATZ; Josefa BUGGELSHEIM; Brigitte KANITZ; Grete WASSERTHEURER; Sybille LINK; Eva BORNEMAN; Jutta RINNER; Tina HOTSTÄTTER; Franziska SCHERZ; Barbara NEUWIRTH; Krista KRUMBIEGEL; Irene HALPERN; Ute GROSS; Clara KIRSCHNER; Annemarie SAUSENG; Sabine MADER; Claudia OFFENWANGER; Elfriede BREZANY; Kurt MARTI; Johannes VVORAL; Walle SAYER; Ernst BINDER; Hans KLEIN; Thomas LOSCH; Ingeborg DREWITZ; Friedrich HANDL; Klaus GRUNENBERG; Friedrich SCHÖLLER; Inge LEIST; Marita MERTZ; Martin KRUSCHE; Gernot ROMAR; Karl HORVATH; Dr.Uwe BOLTIUS; Al LEU; Eveline SCHERER; Martina WANDERS; Prof.Ernst FEDERN; Jack UNTERWEGER ist fertiggestellt und erscheint im September 1985. Rechtzeitig zum Symposium GEKNEBELTE GESELLSCHAFT vom 3.-5.1o.1985 in Wien, ALTE SCHMIEDE, Literarisches Quartier, ab 18.oo Uhr.

Wer Interesse an WORTBRÜCKE Nr 2 hat, schickt bitte entweder einen DINA 4 FRANKIERTEN Rückumschlag (adressiert); oder Internationale Antwortscheine (KLINE MARKEN, DIE WERDEN VON DER BEHÖRDE DER STVA. NICHT AUSGEHÄNDIGT)an: Jack Unterweger, STVA Stein, A-35o4 Krems

Trotz UNKENrufen wird WORTBRÜCKE Nr 3 erscheinen! April-Mai 1986. Wer (und nur so kann ich denen, die dagegen sind, eine lange Nase drehen) Interesse hat, in Nr 3 dabeizusein, der schickt mir Texte (bis ca 3-4 Seiten, auch Auszüge aus Prosaarbeiten, angenehm sind Erstdrucke, Unveröffentlichtes, neue Formen der Literatur etc.) in die StVA. Stein. Auf Grund meiner Situation IST ES MIR UNMÖGLICH GEWORDEN, AUF SENDUNGEN OHNE FRANKIERTEM RÜCKUMSCHLAG (Marken allein werden nicht ausgefolgt, da lieber den kleinen Geldbetrag per Postanweisung oder intern. Antwortscheine beilegen) ZU ANTWORTEN. bzw. später BELEGEXEMPLARE zuzusenden. Ich verdiene nichts, die Zeitschrift kostet nichts, die Behörde verbietet mir jeden Verdienst nach dem Strafvollzugsgesetz. EINSENDESCHLUSS für WORTBRÜCKE Nr. 3:31.Jänner 1986.

Lesungen, Telefongespräche, unangemeldete Besuche und Gespräche mit Medienvertretern (für ein Interview, etc.), Ausführungen zu Vorträgen (im Gegensatz dürfen andere Strfg. sehr wohl zu Schulprüfungen, Handwerksprüfungen etc. ausgeführt werden, Literatur ist kein Handwerk) sind mir vom BMfJustiz in Wien untersagt. (Pressegespräche erst seit Mai 1985.(Als Folge von...?) Aber so sieht die Unterstützung real aus. Österreichisch, denn besuchen kann mich JEDER, eben nur vorher anmelden, Vorschriften beachten...etc.; so GRÜSSE ICH EUCH ALLE AUF DIESEM WEG und DANKE JENEN GANZ AUFRICHTIG, DIE MIR HELFEN, daß diese Zeitung existieren darf und kann und mir nicht zu teuer wird und jenen, die mir vertrauen und TEXTE in den Knast schicken. Ich mache alles hier, von der Auswahl der Texte bis zum Layout, (druckfertig) gedruckt und der Versand MUSS außer der StVA Stein erfolgen, die Zeitung darf nichts kosten -, solange kann ich sie "machen", hat die Behörde nichts für ein Einstellen in den Akten.

Die geistige Freiheit ist im Kopf!
Herzlichst
euer Jack Unterweger
Sommer 1985

Statement einer Besucherin

Anwesend am 3.Tag des Symposions (Schwerpunkt Gefangene), fühlte ich mich von den Beiträgen sehr betroffen. Im Gegensatz zu den Vorträgen jedoch, erlebte ich die Abschlußdiskussion eher als lähmend. Außer Wortscharmützel und Feststellungen, daß unsere Gesellschaft nicht den geringsten Raum zur Kreativität biete und sich daher über ihre "Auswüchse" nicht wundern solle, sowie scheinbare Einmütigkeit über die sofortige Beseitigung aller Strafanstalten und der damit verbundenen Hierarchie, erfuhr ich nichts Konstruktives. Obwohl selbst eher realitätsfremd, erfaßte ich doch ziemlich klar, daß keiner der Diskutierenden wirkliche Anteilnahme für DIE DA DRINNEN hatte, sondern nur seine/ihre Progressivität unter Beweis stellen wollte.

Meine konkrete Frage nach Vorschlägen für Änderungen der bestehenden Mißstände ging unter und erfuhr keine Antwort.

Ich hätte mir nach all diesen Vorträgen, die dieses grenzenlose Alleinsein der Gefangenen sehr klar zum Ausdruck brachten, mehr Sensibilität und "Mitfühlungsvermögen" für "die Häftlinge" erwünscht und, daraus resultierend, die Entwicklung einer Initiative zur Tat.

Isabella

Karl Hermann Wurzer - "Einer von Denen"

Strafvollzug-Kurzreport (Sexualität)

Bildet der heimische Strafvollzug nur eine soziale Fahrlässigkeit oder eine unsoziale Vorsätzlichkeit?

Heißt RESOZIALISIERUNG lediglich vorprogrammierter Aufbau zum RÜCKFALLSZWANGE?

Österreich hat die meisten Inhaftierten von ganz Europa (prozentual) und: die höchste Rückfallsquote mit 85% vom ganzen Kontinent.... Wirkt doch bei genauer Betrachtung und objektiver Beurteilung gerade dieser Staat mit diesen nachgewiesenen statistischen Zahlen, als wäre er endlich scheinschwanger in seinem nur theoretischen Reformierungsgeplärre und bloßes Aushängeschild dessen...wenn's an die Entbindung gehen sollte...

Wenn der ehemalige Wahlspruch "leben und leben lassen" selbst in der glorreichen Freiheit kaum mehr zur Geltung kommt und als rundum individuelle "Schwäche" bekritelt wird, so stößt man doch hinter dicken Gefängnismauern erst recht auf ein müdes Lächeln!
Denn die Leitsätze der letztgenannten Umgebung, sie müßten zwangsbedingt lauten: "nimm dir, was du dir - wie auch immer - nehmen kannst und verschaffe dir Vorteile um jeden Preis!", Leitsätze welche ein System geprägt hat, das uns zu fast 90% unsere Verhaltensweisen aufdiktiert und eindrillt!
Dazu frage ich mich ersthaft - und ihr, ihr solltet es eigentlich auch tun - : was will man nun tatsächlich aus uns machen?
Extrem habgierige, raffgierige und habsüchtige Egoisten (Haben- statt Sein-Menschen), die ohne jeglichen Skrupel zu leben lernen? Die dabei naturbedingt und als Folgeerscheinung erzwungenermaßen bald weder Freund noch Feind erkennen, alles niedertreten lernen, was sich ihnen - wo auch immer - in den Weg stellt?
Denn was soll in einem Menschen gedeihen, er erlernen, der ausschließlich von "nehmenden" Kreaturen umgeben ist?
Sollte es doch unser vorrangigstes Ziel sein, endlich die Sprachlosigkeit zwischen Drinnen und Draußen gemeinsam aufzuheben!

Alleine schon die übliche Zensur in den Anstalten...was ist mit dieser Zensur? Ach, "nur" die Zensur, die unsere privatesten und intimsten Briefe und Gefühlsregungen mit der Frau, der Freundin oder sonstigen Bezugs- und Vertrauenspersonen ausschlachtet...geistige, ideelle und intime erotische Diebstähle begeht? Aber auch die immens verniedlichte Zensur durch die Türspionspießereien der gelangweilten Beamten, die jede privateste und intimste Bewegung des Zelleninsassen beobachten? Ach dazu könnte man mit Nestroy sagen: "Eine Zensur ist die jüngere von zwei schändlichen Schwestern - die ältere, sie heißt Inquisition...".
Selbst auch nur der phantasievoll herbeigeführte Gedanke an eine Ohnmacht - kann einem Inhaftierten gar nicht wünschenswert vorkommen, denn - wie könnte ein bereits mit erstem Hafttage ohnmächtig Gemachter dann noch an seine eigene Ohnmacht denken? An die furchtbare psychische Atemnot, die rebellierenden Triebregungen und diversen ganz natürlichen Hungergefühle... sie alle programmieren den Kollisionskurs.
Ein Zyniker und Kenner der gesetzlichen Grundlagen und der Materie, vor allem der Praxis, würde beschämt denken: "Ach, wie wird mir schlecht - du Spruch der Sprüche von Recht und Gesetz!" Dadurch sehen sich aber leider so viele Gefangene nach einer Möglichkeit um, sich um ein paar kümmerlicher Vorteile willen prostituieren zu können, sich dem Drucke beugend und unterwerfend, sich selbst fallen lassend, und sicher aus Gründen der Anstaltsstrategien und des Macht-vor-Recht(s)-Druckes, dem sie nicht gewachsen sind, in der eigenen Persönlichkeit bald auf "lahm" oder "Lamm" machen. Wie lahm? Denn schon wird vergessen, daß "Lämmer" oder auch "Lahme" dann draußen weiterhin nicht mehr lebenstauglich sein können und sie dadurch automatisch wieder zum Scheitern verurteilt sind! Wo das Leben draußen doch sicher 'mehr' von "Wölfen" dirigiert wird, welche uns nicht nur äußerlich sehr ähnlich sehen, sondern auch noch weit tüchtiger im Beutemachen sind ... .
Vielleicht sollte man zur besseren Darstellung mal einen Vergleich hier anführen, über den Gefangenen und dessen psychische Belastbarkeit, deren Grenzen man laufend überschreitend demontiert, bis sie, total realitätsblind, entfesselt in der Sackgasse enden: Übst du zum Beispiel auf einen allseitig geschlossenen Behälter mit einer Flüssigkeit einen sich gleichmäßig steigernden Druck aus - dehnt sich dieser nach allen Seiten nicht auch gleichmäßig stark aus?
Das ist ein physikalisches Gesetz. Ein Grundgesetz der Natur!
Was aber, wenn der Druck zu groß wird?
Wenn das Material die Belastung nicht aushält?

Dann ... platzt der Behälter zuletzt...das ist doch logisch?
Gut!
Übst du aber auf einen ständig eingeschlossenen Menschen sich vermehrenden Druck aus -
so entsteht ein emotioneller Hochdruck.
Wird nun der Druck zu groß -
so platzt der Mensch und....
ER KOMMT IN DEN KELLERBUNKER....
Soll also DAS die Resozialisierung sein?

So stelle ich mir auch manchmal die 'leise' Frage - wo doch 'laut' nicht gedacht werden darf, was ich aber dennoch immer tue: "Wer mag wohl der größere Verbrecher sein - der verehrte Atompilzzüchter oder - der als Verbrecher gebrandmarkte kleine Hendldieb?

Zum Thema Sexualität.

Bildet nicht gerade in den Gefängnissen die sexuelle Zwangsabstinenz eine sehr fragwürdige Annäherung an Foltermethoden? Ein Thema, welchem immer wieder ausgewichen wird und das ich nun mal, ganz krass und direkt, anschneiden möchte. Warum auch nicht, i c h konnte noch nicht niederfrustriert werden und habe keinerlei Hemmungen vor natürlichen Dingen, auch nicht in Wort und Schrift dritten Personen gegenüber! So will ich nun mal absichtlich etwas grob dieses Thema anschneiden und offen analysierend aufzeigen.
Es schaut danach aus, als hätte ein "als asozial Abgestempelter" keinen Anspruch mehr auf Beibehaltung sozialverbindlicher und kontaktbindender Nahrung. Sieht so aus, als würde er nicht mehr als vollwertiger Mensch betrachtet werden und es scheint so, als könne man ihm, dem Delinquenten, das Recht auf Befriedigung seines sexuellen Hungers einfach entziehen. Ohne Schädigungen? ... Doch: braucht man darüber noch zu reden? Haftschicksal? Selbst die Medien weichen diesem Thema nur allzu deutlich aus. Sind doch Gefangene "Randgruppen" - und solche waren schon immer unbequem und uninteressant. Doch gibts nicht auch am Rande der Gesellschaft so etwas wie Gefühle und Lust?
Doch, es gibt sie - sogar sehr verstärkt.
Wohin mit dem "Ding", wenn's dauernd juckt und fiebert, daß es Geist und Körper schüttelfrostartig, die ganze Psyche verwirrend, durcheinanderbeutelt?

Was tun, wie tun, wenn alles, was man tut, doch nur ein Tropfen auf heißem Steine ist und nur noch wilder macht?
Ob man den Sträfling zur Onanie und damit zu stetiger Selbstfrustration zwingt, ihn dadurch vielleicht sogar in unheilbaren Neurosen versinken läßt: wie kann sich die "soziale" Gesellschaft derart inhumane Foltermethoden ausdenken und sie praktizieren? Davon wurde im Urteilsspruche aber gar nichts erwähnt. Der spricht nur vom örtlich gebundenen Freiheitsentzug.
So wie der Magen nach Essen verlangt, bei Hunger knurrend bis schmerzend nach Nachschub schreit, die Haut und das Herz nach Sonne und Luft lechzen, der Geist ebenfalls ständig in Nahrungssuche herumgrübelt und alles seine Befriedigung sucht und braucht! Dinge, auf die jeder Mensch einen Mindestanspruch haben muß und dieses, sich sehr gravierend äußernde Bedürfnis nach Sex-Liebe-Nähe-Wärme-Zärtlichkeit, das dürfte selbst einem Gefangenen nicht verwehrt werden!
Nicht zuletzt scheint es der Gesetzgeber eh besser wissen und beurteilen zu können als Nichtbetroffener... da er all das Natürliche und sicher sehr Wichtige sowieso hat und nicht zu missen braucht! Dazu meine ich: Die können da leicht reden und darüber grinsend theoretisieren. Denn wer selbst satt ist, der kann die hungernde Schwäche des anderen nie verstehen und nur kritisieren...
Sagte nicht Goethe schon: "Ein Kind wird nicht schlecht geboren, sondern so erzogen." Eltern oder auch Umfeld? Wie auch immer, da ist was dran. Beeinflußt durch direktes oder indirektes Einwirken der Umgebung, wo man, ohne Wollen, individuell reinwächst. Dort, wo ein Kind wächst, es gedeiht oder auch nicht gut gedeihen kann.
Könnt ihr nun wirklich jede Mitschuld bestreiten?

Man wäre geneigt, zu sagen: "He, wacht auf, straft weniger im eingenisteten Vergeltungswahn und der Rachsucht. Sucht zu helfen, wo ihr auch mal wo mitversagt habt..."
Man möge nicht behaupten, ich sei ein Querulant, das wäre zu billig und unrecht. Ich würde mich dazu erst bekennen, wenn ihr selbst euch als völlig astrein erweisen könntet - und das wird euch sicher schwer fallen...denn solange in Österreich ein Mensch und Gefangener weniger Schutz als ein Hund genießt und erwarten darf (wobei der Hund sogar von einem Verein, dem Tierschutzverein, vertreten und geschützt wird), solange werde ich mich wohl keines besseren belehren lassen.
Weshalb drückt ihr eure satten Ärsche in bequemen Stühlen vor dem Fernseher platt und laßt euch Musterzellen und fingierte, beschnittene Medienberichte

vorgaukeln, worin der "human" behandelte Gefangene und satte Häftling ganz falsch demonstriert wird. Was laßt ihr euch all den falschen Kram in eure frigiden und apathischen Gehirnzellen reinquetschen?
Verlangt doch mal eine genaue Untersuchung der tatsächlichen Haftumstände und die Ursache/Wirkung-Wahrheit eines Nährbodens für vermehrte Kriminalität. Wo bleibt hier auch nur ein annähernder Vergleich im Vollzug der Theorie zur Praxis, zum Beispiel zu den deutschen oder gar dänischen Gefängnissen? Vielleicht wißt ihr dann, von was ich rede. Hört euch doch die Gefangenen mal life und selber an und deren tatsächliche Nöte und nicht nur ein paar der Allerdümmsten und extra deswegen für Interviews Ausgesuchten...
!
Die künftige Zusammenarbeit von Mensch zu Mensch und nicht die Feindschaft soll erreicht werden! So bin ich auch für jede Art von Kritik - falls man in Österreich eine solche aus der Mentalität erwarten kann - doch dankbar. Es wäre längst an der Zeit, eure blind gemachten Augen mal aufzumachen und hinter die Kulissen zu schauen! So, wie Gefangene derzeit umgeschult werden, werden sie doch, staatlich legalisiert, erst in und durch die Haft zum richtigen Verbrecher "umerzogen". Nach der Strafe aber sind sie wieder unter euch, und sind sie dann vielleicht so, wie ihr sie haben wollt? Verroht, voller Aggressionen, hemmungs- und haltlos, achtungslos, egoistisch und tierhaft, geistig beschränkt und abgebaut - dadurch vermehrt gewalttätig, lebensuntüchtig und realitätsblind..... . Dafür aber völlig ausgehungert und mit leeren Taschen in einer Pfeif-egal-Stimmung, zuletzt hinter dem "Leben" draußen herjagend. Fazit: neuer Abgrund, Rückfall!

Dazu mag ich nur noch sagen:
Eine Gesellschaft ist genauso viel wert, als sie sich bereit zeigt, dem sozial Schwächeren zu helfen, daß er tatsächlich wieder sozial stark werden könne!

(Gelesen hat Ernst Christian Mathon von der Theater-Gruppe " "Thespiskarren")

Karl Hermann Wurzer
dzt.: Kreisgericht Korneuburg
A-2100 Korneuburg, Hauptplatz 18

Korneuburg, 30.10. - 6.11.1985

Liebe Krista - Hallo!

Tut mir leid - mit meiner Lesung bzw. Kassette dazu lief alles im letzten Moment schief! Auch diesen Brief hier kann (darf) ich erst mit 6.11. an Dich absenden, da ich mich von 9.10. bis 6.11. (28 Tage) im Hausarrest befinde! In den 28 Tagen wird mir keine einlaufende Post ausgefolgt, darf ich keine Post absenden und auch keine Besuche empfangen usw.
Kurz und gut (oder schlecht?), so hatte ich am 1.10.85 die Kassette total fertig besprochen, kuvertiert und mit Express-Marken frankiert und absendebereit am 2.10.85 am frühen Morgen (7 Uhr) der Postzensurstelle hier zur Aufgabe übergeben!
Diese Post wäre noch kurz nach Mittag dem Postamt übergeben worden und hätte dich verläßlich am Donnerstag den 3.10. erreichen müssen, doch ...
Am 2.10., also an jenem Morgen, wo ich die Post absendebereit vorlegte, wurde ich um 8 Uhr Früh nach Wien zur HNO im Allgemeinen Krankenhaus gefahren, um dort einer Nasenuntersuchung wegen vorstellig zu werden. Samt Wartezeiten dort usw. - so wurde es knapp vor 11 Uhr im AKH, als ich plötzlich durchs Fenster dort sprang und für meine Eskorte spurlos verschwand. Stand ja leider am 3. oder 4.10. eh dick in der Kronenzeitung: "Kranker Häftling sprang im AKH aus Fenster" usw. Gelesen?
Ja, die unrühmliche kranke Figur war ich! Kurzschluß...
Fluchtzeit: 10.50 Uhr!
Ich war zwar frei, doch logisch, zur Lesung zu kommen erschien mir nicht ratsam und ich hoffte, meine Kassette wäre, davon unbeschadet, auf dem Weg zu Dir. Doch - denkste!

Am 9.10. sah mich (mit Freundin) zufällig ein Beamter von Korneuburg, Funkstreife bei der Hand, ebenfalls Zufall - und ich befand mich mit 9.10. wieder in Korneuburg. Sitze nun 28 Tage im Vollarrest usw.
Außerdem (endlich!) komme ich nun von d e r Anstalt hier weg! Wurde mir bereits fix mitgeteilt durch den Anstaltsleiter hier und durch das Justizministerium entschieden!
Also nun - die 9. Anstalt? Jedenfalls wird's mir überall besser gehen als hier - nichts als weg von Korneuburg!
Wohin ich käme, sei noch offen, da mich ja kein Anstaltsleiter freiwillig nehmen will - doch solle bis 6.11. ein Haftort gefunden werden und ich kurz nach dem Hausarrest wegkommen!
Als ich hier wieder eintraf, sah ich, man hatte die Kassette NICHT abgesandt (trotz Vollfrankierung und Postabgabe ZUR ABSENDUNG!). Es hieß, man habe "geglaubt", die Kassette sei am 2.10. noch nicht fertig gewesen - weißt eh, Krista, was ich mir dazu denke?

Man wollte sowieso nie, daß ich meinen Text bei der Veranstaltung öffentlich vorbringen könnte und durch meine Flucht war eine Ausrede da, das zu verhindern!
Egal nun! Wie lief's? Du - ich konnte echt nicht selbst hingehen - wollte ja, es juckte mich. Doch gleich hier beim "Empfang" bemerkte man, "weshalb ich nicht persönlich zur Lesung gegangen sei"... . Da wäre ich bereits am 5.10. in die Handschellen gegangen!
Du - kannst Du und könnt Ihr mich ein bißchen verstehen?
Mir fiel die Decke auf den Kopf - 5 Jahre Haft bereits, seit 7 Monaten auch noch Korneuburg und keine Chance auf ein Wegkommen usw. - die Lesung wurde mir abgelehnt, mit der Nasenoperation wurde ich hingehalten (Verengung/Nasenscheidewand etc.) - usw.

In einem Strafhaus habe ich meine eigene Schreibmaschine, eigenen Recorder auf der Zelle, kann voll kreativ arbeiten und noch ein bißchen "leben".

Ich wünschte, Du kannst und willst mich verstehen und mir eine andere, neue, Lesungsmöglichkeit anbieten, da ich ja nun (bald), im Strafhause, weit besser arbeiten und teilnehmen könnte!?

Vorerst mit lieben Grüßen - schreib mir
bitte ein paar Zeilen zum Erhalt meiner
Info hier -

Karl Hermann Wurzer

Kommentar: Am 2.Oktober telefonierte Frau Ilse Aschner, Leiterin der administrativen Belange der Grazer Autorenversammlung, mit dem Anstaltsleiter des Gefangenenhauses im Kreisgericht Korneuburg, Herrn Major Erdinger: Herr Wurzer habe - mit Einwilligung des Herrn Erdinger - den für das Symposion "Geknebelte Gesellschaft" von der Organisatorin ausgesuchten und bestimmten Text auf Band gesprochen, wo die Kassette bleibe.
Fühlte sich Herr Major Erdinger als Literatursachverständiger, als er nach Anhören dieses Textes Karl Hermann Wurzers am Telefon feststellte:

1. der Text sei zu lang,
2. der Text sei nicht vollständig,
3. der Text sei nur bruchstückhaft,
4. und eigentlich könne er die Kassette überhaupt nicht hergeben,
5. und überhaupt müsse man Herrn Wurzer aus dem Programm streichen.

?

Natürlich wurde K.H. Wurzer nicht "gestrichen" - wir hatten, wenn auch keine Kassette, so doch das Manuskript. (K.)

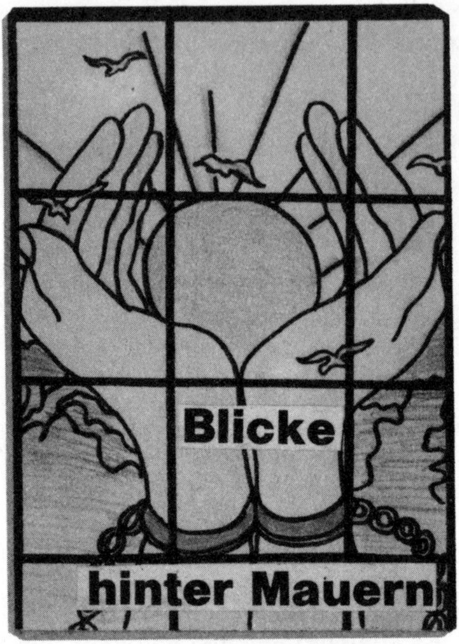

(Postkarte)

„Die Kinder gehen in die Welt! Das ist es, was ich verstehe — die Kinder gehen in die Welt, über die ganze Erde, alle, von überall her — einem Ziel entgegen! Die besten Herzen, Leute mit rechtschaffenem Verstand ziehen unaufhaltsam gegen alles Böse zu Felde; sie schreiten dahin, zertreten die Lüge mit festen Tritten. Sie sind jung und gesund und geben alle ihre unüberwindliche Kraft für das eine hin, für die Gerechtigkeit! Sie ziehen aus, um alles menschliche Elend zu besiegen, sie haben sich gerüstet, um alles Unglück in der Welt zu vernichten, sie wollen alles Häßliche bezwingen und werden es auch bezwingen! Wir wollen eine neue Sonne anzünden, hat mir einer gesagt — und sie werden es tun! Alle zerschlagenen Herzen wollen sie zu einem einzigen vereinen. Und sie werden es tun!"

(Aus "Die Mutter" von Maxim Gorki)

Wir tragen die Eisenkugel innen
sie umschließt unser Herz

Karin Leiter

Gedanken am Rand

Jänner 1984

EINGESPERRT
Wir sind hier
in höherem Maße
ausgesperrt
als eingesperrt.
Wir sind mehr unserer
Verantwortung beraubt
als unserer
Freiheit.
Wir sind in unseren
Illusionen
gefangen...

Nachwirkungen einer vergitterten Vergangenheit
Jänner 1985

BITTERE ERFAHRUNG
Der Händedruck elektrisiert.
Ich habe vergessen,
wie sich körperliche Berührung
anfühlt.
Die Menschen sind so fremd
in den Straßen.
Ich habe vergessen,
daß es diese Welt
außerhalb der Mauern gibt.

Ein Mensch schenkt mir
Vertrauen.
Ich habe Angst davor.
Ich habe vergessen,
was das ist: Vertrauen.

Jemand fragt,
wie es mir ginge.
Ich weiß keine Antwort.
Die Vergangenheit ist
immer noch Gegenwart.
Ich spreche darüber.
Aber es versteht mich
niemand.
Ich bin allein.
Schleppe Gitter hinter mir her
und alte Schuld.
Und die Angst drückt mich nieder.
Ich kann nicht mehr
in die Zukunft schauen.

"Du hast nur Selbstmitleid"
sagt sie.
"Du bist ein Versager"
sagt er.
"Eine Verbrecherin"
steht im Akt.
Ich sage nichts mehr.

Sie tun mir alle leid.
Sie begreifen nichts.
Die Zeit der Tränen
ist vorbei.
Ich bin traurig.
Ich werde diese Traurigkeit behalten.
Wenigstens ein Gefühl!
Vielleicht lerne ich
damit zu LEBEN.
Jenseits der Gitter!

VORSTELLUNG
Meine Wenigkeit
zu wenig zum Menschsein
weil gebrochener Verbrecher
in eigener Schuld
inhaftet
Resoz gestempelt
familienentlaust
von Justizias Gnaden -
nicht von Gottes -
enthaftet behaftet
bedrittelt
bewährungsbewacht
ausgespuckt aus
Schwarzau.

Seither auf der Suche
nach Freiheit
kann sie nicht finden
ist ausgestorben
in der Zwischenzeit
Haftzeit
Endzeit.
Insider - Outsider
alles verkehrt.
Kein Vergessen
verschüttetes Ich
justizisch geknebelt
lebenslanges Vorurteil
schleppend.
Lerne gehen
lerne reden
neu
gegen Mauern
gegen Drohungen
erst recht.
Schreibe vom Zerbrechen
von den Zerbrechern
seither
und suche MICH
NICHT zerbrochener Mensch
schwimme gegen Brechmittelstrom
weil ins Zimmer
scheint
Sonne
ohne Gitterschatten.

Nun arbeitet Karin Leiter an einem Würstelstand und besucht abends die Maturaschule.

Jutta

Alptraum im Frauengefängnis Schwarzau

Das Land in meinem Alptraum ist ein kleiner Staat auf einem alten Kontinent. Dort gibt es Menschen, die sich in ihrer ganzen Selbstherrlichkeit hinter politischer Schöntuerei und opernballwütiger Schmähliebelei verschanzen. Ihre eigene Bequemlichkeit macht sie starr und blind und taub.
Sie haben kein Gefühl für das DU, nur für SICH SELBST. Die meisten von ihnen hätten auch gar keine Zeit für den anderen, denn sie sind ständig bemüht, ihren eigenen Dreck unter den Teppich zu kehren. Zeitungsschmieranten, die sich alltäglich zu Göttern aufspielen, verstärken den Drang zur Löblichkeit. Darum werden die "Staberl-und Leitner-Verse", wie sie die Menschen in meinem Alptraumland nennen, zur Pflichtlektüre.
Es gibt dort auch MENSCHENVERWAHRUNGSSTELLEN - Gefängnisse heißen diese. Dort werden Menschen verwahrt, die gegen die Gesetze der Moral und Gesellschaft verstoßen haben. Oft sind sie daran einfach zer-BROCHEN. Ob sie deshalb Ver-BRECHER sind?
Diese Verwahrten sollen erkennen, daß sie Unrecht taten und, gebessert, der Norm angepaßt, wieder in die Gesellschaft zurückkehren. Sie nennen das "RESOZIALISIERUNG", die Verwahrer.
Bereits hier beginnt eine der furchtbarsten Lügen in jenem Land ihr zerstörerisches Werk:
Zeitungen füllen ihre Seiten mit Sensationen. Die Gier danach ist grenzenlos. Die Wölfe brauchen das Zerfleischen, um ihre Scheinmoral zu bewahren.
Dann spielt Justitia ihre Farce: "GERECHTIGKEIT". Ein Urteil hängt von vielen Faktoren ab. Am Rande auch von der Tat! Zuerst aber vom Ort des Gerichts. Es ist entscheidend, ob der Täter/die Täterin im Osten oder im Westen des Landes angeklagt wird.
Wesentlich ist der soziale Stand der Angeklagten. Mit Namen und Beziehungen, mit einem teuren Anwalt und Freunden in der Politik liegen die Chancen auf ein ungleich milderes Urteil fast bei 100%. Schließlich hat der Richter noch seinen Preis, er unterliegt Stimmungen, ist vielleicht gerade mißgelaunt; der Staatsanwalt ist auch nur ein käuflicher Mensch...der Name des Gesetzes dehnt sich wie ein Gummiband.
Doch erst hier beginnt der eigentliche Wahnsinn: Hinter den hohen Mauern und vergitterten Fenstern der Strafanstalten spielen Möchtegernkaiser Macht.

Früher einmal war das Land meiner Alpträume eine Diktatur. Es sind sicher Relikte von damals. Eigentlich sollte man meinen, gerade hier wäre gut geschultes Personal mit psychologischer Eignung notwendig. Eine Meinung mit Trugschluß! Es geht in Wirklichkeit NICHT um "Resozialisierung"! Diese Gefangenen sind der Justizwillkür ohnmächtig ausgeliefert. Sie werden wie Tiere im Zoo verwahrt, bei Führungen in einem Sicherheitsabstand vorgeführt, gefüttert, gekleidet, markiert. Über Jahre hinaus. Sie werden, jeder Verantwortung, jeden Gefühls beraubt - zu stumpfsinnigen, leeren, unfähigen Wracks gemacht.
Doch die Lüge muß aufrecht erhalten werden! Man spricht von Berufsausbildungen, von sinnvoller Arbeit, von guter Behandlung... Das alles auf Kosten des unbescholtenen Bürgers! Diese Propaganda wirkt zerstörend.
Jeder Mensch, der einmal im Gefängnis war, ist damit LEBENSLÄNGLICH verurteilt und VERVORURTEILT. Seine Chancen, sein Recht, Mensch zu sein mit menschlichen Wünschen, Bedürfnissen, werden fast immer auf Null gesetzt.
Schwerer als die Männer haben es die FRAUEN. Sie werden auf einer Insel der Vergessenen im Land der Alpträume weggesperrt. Und es gibt in dem ganzen Land nur EINE Frauenstrafvollzugsanstalt! Nicht einmal die Möglichkeit einer Verlegung existiert. Wer fährt schon hunderte Kilometer für einen Besuch von höchstens einer Stunde?
Familienanschluß, der so wichtig wäre, ist von vorne herein zerstört! Für die Frauen gibt es zeitweise zwei Berufsausbildungsmöglichkeiten - für Männer dreizehn! Weibliche Jugendliche dürfen KEINEN BERUF erlernen! Für die Männer ließen die Politiker Sonderanstalten zum Herzeigen errichten.
Dem Leiter der Frauenstrafanstalt ist es wichtiger, Wandmalereien aus der Kaiserzeit renovieren zu lassen, als rostende Blechwannen gegen Waschbecken zu tauschen. Das Magengeschwür sieht man ihm an und seine ständig dreckigen Fingernägel putzt er immer dann, wenn er redet. Er redet viel und sagt nichts. Die Frauen leiden unter Vitamin- und Mineralmangel. Ackerweise wird Salat und Gemüse umgepflügt und landet auf dem Komposthaufen.

Arbeitsunfälle werden vertuscht, wenn Beamte daran schuld sind oder ungenügende Sicherung gegeben ist.
Mit höflicher Anfrage erreicht eine Gefangene selten etwas. Man muß den Wachebeamtinnen und vor allem diesem autoritätsheischenden Anstaltsleiter direkt Angst machen, MUSS rebellieren, bis die Ordnung so gestört ist, daß MANCHE Beamte nachzudenken beginnen.
Möchte man mit einer Spur bewahrten Ichs überleben, muß man schnell lernen. Wer sich wirklich unterordnet, ist verkauft! Dann gibt es, auch in Freiheit, keine Zukunft mehr. Was bleibt, ist ein menschliches Wrack.
Nach Jahren im Gefängnis ist es fast unmöglich geworden, sich im Verkehr zu bewegen; sind Kaufhäuser, Menschenansammlungen ein einziger Schock, ist jede Beziehung zu Geld vernichtet.
Wo und wie Arbeit finden?
Verschweigt man seine Vergangenheit und der Arbeitgeber kommt drauf: Kündigung!
Sagt man die Wahrheit und hat noch das unglaubliche Glück, trotzdem angestellt zu werden, bleibt die Angst. Denn: geschieht in der Firma die kleinste Sache, fällt der erste Verdacht auf den Vorbestraften: Kündigung! Ein Teufelskreis schließt sich!
Die Familie verliert jede Beziehung. Besuche werden meist weniger, Briefe seltener. Beobachtung und Zensur sind für viele unerträglich. Das jahrelange Warten mündet in Entfremdung.
Die Gefangene lebt aber nur von dieser EINEN Hoffnung: Menschen von "draußen" kommen, senden eine Zeitlang Briefe....
Sie wartet "drinnen" wochenlang auf diese eine halbe Stunde Besuch, auf diese EINE Antwort auf ihre vielen Briefe. Einmal bleibt nur noch Schweigen.
Sie träumt von der Freiheit. Von einem Spaziergang, der nicht nach 20 Schritten um eine Kurve gehen muß, von einer offenen Tür, einem Fenster ohne Gitter, einem Abend bei Kerzenlicht, einem Essen, wenn der Hunger da ist, Schlaf im Dunkeln, wenn sie müde ist. Sie träumt von Anerkennung für gute Arbeit, die sie erfüllt, von Lohn, von Regentropfen, die sie naß machen, von einem heißen Bad, wann immer es ihr gefällt, von Gesprächen, die unbegrenzt sind, unter vier Augen, von Geborgenheit, Liebe, Wärme.
Alles, was bleibt ist Unsicherheit, Mißtrauen, Haß, Ohnmacht, Einsamkeit und grenzenlose Sehnsucht...

Die Lüge im Alptraumland beginnt ganz oben.
Ganz deutlich sehe ich ein Fußballspiel der Justizwache. Das Spiel ist einfallslos, engstirnig, chaotisch, sehr aggressiv. Hinterher gibt's Schulterngeklopfe und der Große Bruder hält eine Ansprache - ich sehe Orwell's 1984 - der sagt, er wolle ihnen erneut versichern, daß er JEDE Maßnahme der Beamten in den Gefängnissen befürworte, daß er ALLES decke und sie keine Angst haben müßten, sollte einmal etwas unüberriechbar zum Himmel stinken. Da gebe es ministeriale Geruchsfresser und blütenweiße Westen.
Seine Rede ist mitreißend. Am Schluß gibt es mehr als Applaus: "HEIL, HARRY!" rufen sie. Mit bestimmten Worten an bestimmten Plätzen haben schon Kriege begonnen. Die Hände bleiben unten - heute.
Über diese Rede schreibt die Presse nicht. Propaganda ist alles und Schweigen ist Pflicht.
"Heil, Harry", und aus dicker, brauner Scheiße streckt sich eine Hand zum Gruß.
Ich habe meine Augen offen.
Im Frauengefängnis im Land des Alptraumes wird ein "Dokumentarfilm" gedreht. Die Frau Major trägt Häftlingskleidung, läßt sich ein Frühstück servieren, von dem die Gefangenen bisweilen nur träumen. Damit wird Zellenidylle ins gutbürgerliche Patschenkino gebracht. Man muß DAS verstehen. Die Frau Major wäre vielleicht gerne Schauspielerin geworden, aber in ihrer Familie ist der Beruf des Justizwachebeamten Tradition. Das Inzuchtsystem ist wichtig: Man wird nicht so schnell zum Nestbeschmutzer. Und schließlich MUSS die Lüge bewahrt werden. Schon allein wegen der Arbeitsplatzsicherung.

Die Aggression der Bevölkerung MUSS aufrecht erhalten werden. Obwohl die Häftlinge durch Arbeit und fast keinen Lohn (S 2,30 - S 4,—) sich selbst erhalten, wird von S 400,— pro Kopf und Monat berichtet, die der Steuerzahler zu tragen hat.
Die Medien sind systemintegriert im Land meines Alptraumes, und ganz von selbst sensationsgierig... Gezielt wird der Zorn geschürt. Grund: nur, wenn die Entlassenen gegen eine Mauer von Vorurteilen prallen, allein sind, kommen sie wieder. Damit sichert man die Arbeitsplätze der Justiz.
Die Alternative, bestehend aus wenigen, die beruflich und idealistisch für den Start eines Entlassenen kämpfen, heißt Bewährungshilfe. Nur Scheinbewahrer für das Wort "Resozialisierung".
Ihre Zahl wird nicht - oder nur sehr zögernd - aufgestockt, ihre Mittel sind minimal. "Man kann schließlich nicht die Ideen eines alten Mannes im Roll-

stuhl nicht für positiv halten...er spricht von GE-BRECHERN, von MENSCHEN hinter Gittern... ." Dafür gibt's kein Geld! Wo kämen sie da hin? Das Geld wird dringend für die Wachen gebraucht, für Maschinenpistolen, für ... Aufrüstung... für -

Seltsam, daß diese "Bestien" weinen, Angst haben, Sehnsucht haben, leben wollen...
Mit brennendem Herzen renne ich durch die Straßen meines Alptraumlandes, schaue, suche - mich quält nur eine Frage: Wie - wenn all diese Leute von meinem Alptraum wüßten - wie könnten sie dann noch LEBEN und GLAUBEN, daß sie MENSCHEN sind?

(Absolut authentisch)

Lina Hofstädter

Rock'n Roll
(Lied)

Zwei Fuß tief unter der Erde
den Kopf einen Zoll in der Luft
lache ich über den Mond
und stricke mit spitzen Nadeln:
links zwei drei, rechts zwei drei
links zwei drei, rechts zwei drei
am Schal der Unendlichkeit.

Als Amphibie
läßt sich's noch leben
alles ringsum ist schon dahin -
geflogen und vergraben
geflogen und vergraben
- und ich lache in den Mond. Hei!

Zwei Fuß tief unter der Erde
leg ich Hand an die Sterne
pfeife mit den Engelein
die üb'rall wie Bakterien schrein:
sie schwirren auf und ab und hin und her
und auf und ab und hin und her
im Zigarettenqualm.

Auf dem Bockshorn
läßt sich's noch blasen
alles ringsum ist schon dahin -
geflogen und vergraben
geflogen und vergraben
und ich lache in den Mond
und ich lache in den Mond
und ich lache ...

Nachwort

Ich habe mich um eine möglichst lückenlose Dokumentation dieser von mir konzipierten und organisierten Veranstaltung bemüht; daher finden sich in diesem Buch auch jene spontan eingeflossenen Beiträge von Christian, Istvan, Jutta, Karin,und Auszüge aus Yolandas umfangreichen Materialien, die ihr Kämpfen, sowohl um das Leben ihres psychisch kerngesunden Kindes als auch für ihre eigene Rehabilitierung, bekunden.

-

Wir Schreibenden sind, meiner Auffassung nach Kulturarbeiter-innen, ebenso wie Spracharbeiter-innen. Und es ist, wie ich fest glaube, unsere Aufgabe, Bücher und Texte für Menschen, nicht für die Literaturwissenschaft, zu erarbeiten, und/oder zu schreiben.

-

So sollten wir zum Beispiel nicht - ich zitiere die GIP - "Sprachrohr des autonomen Ausdrucks der Gefangenen sein, sondern ein Werkzeug, daß jener sich bilden kann". Denn in der inneren Organisation aller Eingesperrten ist alles dazu bestimmt, sie auf ihr Schweigen zu beschränken.
"Untersagung ist die einzige Form der Unterredung..."

-

Zeiten wie diese fordern uns heraus, die Frage ist gestellt nach unserer Verantwortlichkeit, nach unserem Bewußtsein: wieder sehen wir uns mit offener, auch mit versteckter, Zensur konfrontiert, gegen die wir uns zu wehren haben.
Wer verstummt oder "auch nur verschweigt", läßt Lebensverunstaltungen zu.
Machen wir uns nicht zu Kollaborateuren eines Lügensystems, das die lebendigen Wurzeln einer den Menschen umfassenden Weltanschauung, und auch das Menschenrecht, leugnet, sterben lassen möchte oder sogar sterben läßt. Gerade auch in Österreich.
Dafür ein Ehrengrab. Dafür Sedativa, wie Reformen.

-

Für das Risiko dieser Dokumentation habe ich mich deswegen entschieden, weil Betroffene sich das wünschten. Auch deshalb, weil so schwerwiegende Aussagen wie z.B. "grenzenloses Alleinsein" noch immer nicht begriffen wurden - manche versteckten sich in der Diskussion, manche reagierten unsensibel und oberflächlich.

-

Die meisten Teilnehmenden aber erhofften sich wohl, durch ihre Beiträge Impulse für Gespräche gegeben zu haben, die nicht sofort wieder (eine Überlebensfrage?) abbrechen, abstürzen sollten.

-

Denn - wenn du zuerst eine starke Wärme zu spüren glaubtest, ist die Kälte danach umso unerträglicher.

Die Herausgeberin

Inhalt

Die Zeichnungen auf S 8 und zwischen S 71 und 72 stammen von BERNT BURCHHART ("Wien im Widerstand" - Texttafeln).

Umschlag- und Innenfotos: THOMAS NORTHOFF (aus der Sammlung "Zeichen an der Wand" - Wiener Stadtlesebuch).

Die Zitate der Gruppe Gefängnisinformation (GIP), die sich Anfang 1971 um Michel Foucault, Jean-Marie Domenach, Pierre Vidal-Naquet gebildet hatte, sind dem Buch "Mikrophysik der Macht" von Michel Foucault, Merve-Verlag, Berlin 1976, entnommen.